De pianoman

P9-CRR-321

Dit Boekenweekgeschenk wordt u aangeboden
door uw boekverkoper.

Een uitgave van de stichting CPNB ter gelegenheid
van de Boekenweek 2008

Bernlef

De pianoman

Stichting Collectieve
Propaganda van het
Nederlandse Boek

Voor Eva

Copyright © 2008 Bernlef
Productie Em. Querido's Uitgeverij bv, Amsterdam
Omslagontwerp Anneke Germers
Omslagbeeld Willem van Althuis, *Boerderij* (1978),
Museum Belvédère, Heerenveen
Foto auteur Koos Breukel
Zetwerk Perfect Service, Schoonhoven
Druk- en bindwerk Koninklijke Wöhrmann, Zutphen

isbn 978 90 596 5062 6
nur 301

Dit boek is gedrukt op 100% chloorvrij geproduceerd papier.

De eerste drie jaar van zijn leven sprak Thomas Boender geen woord. Zijn vader Jelle en zijn moeder Tsjitske zeiden alleen het hoognodige tegen elkaar. Monosyllaben die tussen hun strakke lippen op de glimmend gepolitoerde eetkamertafel ploften, daar even bleven liggen om vervolgens in de opnieuw ingetreden stilte op te gaan.

Thomas zat in zijn kinderstoel tegenover hen. Was hij gespitst op die paar schaars gewisselde woorden of richtte hij met zijn diepblauwe ogen al zijn aandacht op de drie lege wit porseleinen borden op tafel, waarop zo direct uit twee geëmailleerde pannen het middagmaal door Tsjitske zou worden opgeschept: andijviestamppot met spekjes?
    Jelle en Tsjitske keken over het kind heen naar de weilanden. Hier en daar liep een koe, twee of drie schapen die zich grazend traag in al dat groen voortbewogen. In de verte stak de torenspits van het naburige dorp de lucht in, waarin heel hoog een reeks schapenwolkjes dreef. Ze namen van dit alles geen notitie, hun omgeving was voor hen vanzelfsprekend, op het onzichtbare af.

De familie woonde buiten het dorp. Hun huis van rode baksteen, meer een ruim daglonershuis dan een kleine boerderij, stond op een eeuwenoude terp, aan alle kanten blootgesteld aan de wind. Het leek hier altijd te waaien. Dit was het noorden van het land. De wind houdt het droog, zeiden ze er tegen elkaar. En soms ook niet. Onder die hoge hemelkoepel waren de mensen nietig als mieren.

Met hoe weinig woorden kan iemand toe? Die vraag was Jelle noch Tsjitske ooit gesteld. Met minder, zou Jelle stellig hebben geantwoord. Tsjitske zou vermoedelijk alleen maar geglimlacht hebben; de zweem van een glimlach die vrijwel meteen weer van haar ronde gezicht verdween. Daarna keek ze weg, naar het bruine plafond of door het raam naar die machtige groene velden die het huis omgaven.

Thomas zat in een hoek van de kamer op de tegelvloer met gekleurde blokken te spelen. Hij stapelde ze tot een toren op en schopte hem daarna omver. Jelle was niet thuis. Hij werkte bij een boer een kilometer of tien verderop. Jelle had geen eigen bedrijf. Hij verhuurde zijn niet geringe arbeidskracht aan wie die nodig had. Hij stond bekend als een harde werker; nooit ziek. Noest, zeiden ze hier, een noeste werker was hij.

Was het vroeger anders geweest? Hadden ze, toen ze pas getrouwd waren, meer woorden tot elkaar gericht? Eigenlijk niet. Blikken en aanrakingen waren voldoende geweest. Eerst liefkozingen, strelingen, ogen die diep in het gezicht van de ander probeerden door te dringen. Tot de strelingen in de loop van de tijd, nadat Thomas geboren was, steeds hardhandiger werden en ten slotte waren ontaard in handgemeen. Toch, ergens onder al die hardhandigheid en zwijgzaamheid school een soort verlegen genegenheid. Inderdaad, niet in woorden uit te drukken. Maar meestal waren ze alleen, los van elkaar. Jelle ergens bij een boer, Tsjitske thuis met Thomas. Misschien dat ze dan soms aan elkaar dachten. Wie zal het zeggen?

Wat doet een klein kind omringd door suizende stilte, alleen zo nu en dan doorbroken door het gezoem van een vlieg of een in de kamer verdwaalde bij, die keer op keer driftig brommend tegen het raam botst? Het begint geluiden te maken. Het hoort hoe die geluiden weer verdwijnen zonder dat er antwoord op komt. Voordat het de kans krijgt de schaars geuite woorden van zijn vader of moeder na te bootsen, heeft de stilte alweer bezit van de kamer genomen. Het kind laat zich voorover op de vloertegels zakken en luistert naar het bonken van zijn hart, dorstend naar woorden die het maar mondjesmaat krijgt toebedeeld en die het op de een of andere manier opslaat in zijn hoofd, waarin zich processen voltrekken waar het zelf geen weet van heeft. Met handen en voeten en luid geschreeuw geeft het aan wat het wil. Tsjitske is bezorgd en geeft het kind haastig zijn zin, bang voor de woede-uitbarstingen van haar man. 'Houd dat kind stil!' Het kind is veel alleen. Het leert zichzelf dat die toestand van geluidloosheid normaal is. Toch, ergens knaagt er iets in hem.

Op zijn vierde zei Thomas op een avond: 'Honger. Koek.'

Jelle trok zijn wenkbrauwen op, Tsjitske sloeg haar hand voor haar mond.

'Hij praat,' zei Jelle verbaasd.

'Ik heb het altijd geweten,' zei Tsjitske.

'Heb jij hem dat geleerd?' Er klonk achterdocht in Jelles stem.

Tsjitske schudde haar hoofd.

'Dan moet hij het zichzelf hebben aangeleerd.'

En zo begonnen ze tegen Thomas te praten. Eerder waren ze niet op het idee gekomen. Je praatte niet tegen een koe, een geit, een kip. Vandaar. Zodoende dus.

Nu pas waren ze echt met z'n drieën. Zo was Thomas hun kind geworden. Het was alsof ze hem nu pas echt zagen. Ze moesten ervan glimlachen.

Thomas leerde snel. Maar omdat zijn ouders zich slechts van korte zinnen bedienden, veelal in de vorm van bevelen gegoten ('geef hier dat ding'; 'pak dat'; 'laat los'), bleef zijn taalgebruik rudimentair. Dat was de term die meester Schaafstra ervoor gebruikte toen Thomas eenmaal naar school ging. Thomas was niet de enige. De mensen uit deze streek stonden niet bekend om hun spraakzaamheid. Zo was dat nu eenmaal. Misschien kwam het door het vlakke land, het gure klimaat. Wie hier ging wonen kon rekenen op eeuwige tegenwind. Je kon je energie wel beter gebruiken dan met gepraat.

* * *

Jenny Vreeland had de eerste twee klassen op het schooltje van meester Schaafstra. Vijftien kinderen, meer zaten er niet op. De afgelopen jaren waren er steeds meer mensen naar de Randstad vertrokken. Geen werk, geen mogelijkheden. Jenny Vreeland had de omgekeerde weg bewandeld. Ze kwam uit het westen. Na een mislukt huwelijk dat drie jaar had geduurd – mislukt omdat haar man per se geen kinderen wilde – had ze als onderwijzeres in het dorp gesolliciteerd. Aanvankelijk was het een vlucht uit een vorig leven geweest, maar na een jaar leek het haar eerder een soort bestemming geworden.

Ze was negenentwintig, lang en mager en ze had grote groene ogen. Ze gebruikte geen make-up zoals vroeger, omdat geen van de vrouwen in het dorp zich opmaakte. Ze wilde niet opvallen, geen buitenbeentje zijn. Ze zou graag deel willen uitmaken van die kleine gemeenschap, maar wist niet hoe ze dat aan moest pakken.

Thomas Boender zat in de raamrij. Hij was bewegelijk, te bewegelijk eigenlijk, vond Jenny. Wat dat betreft gedroeg hij zich allerminst rudimentair. Regelmatig moest ze tijdens het speelkwartier ingrijpen als Thomas weer eens een jongen te lijf ging. Met woorden legde hij het tegen zijn medeleerlingen af en dus gebruikte hij in plaats daarvan zijn handen en voeten.

Jenny dacht dat zij hem begreep. Of liever: kon leren hem te begrijpen. Vaak riep zij hem op het schoolplein bij zich. Dan probeerde ze al heen en weer lopend een gesprek met hem aan te knopen. Daarbij was het haar opgevallen dat hij nooit naast maar steeds achter haar bleef lopen. Alsof hij niet goed wist hoe dat moest: een gesprek met een volwassene voeren.

Ze vroeg Schaafstra of ze Thomas bijles mocht geven. Bij haar thuis. Schaafstra trok zijn schouders op. Verspilde moeite, vond hij. 'Zijn ouders zijn net zo.' In dat laatste moest ze de bovenmeester gelijk geven. Wat waren die Boenders stug. Geen wonder dat Thomas in zo'n omgeving niet tot ontwikkeling kon komen.

Een paar bezoeken aan het huisje op de terp overtuigde haar des te meer van het belang van bijles. Jelle knikte afwezig, maar trok een gezicht alsof hij weinig vertrouwen in haar capaciteiten had. 'U doet maar.' Wat ongezegd bleef: voor ons soort mensen is verder leren niet weggelegd. U doet maar. Ze stond op en gaf hem een hand. Tsjitske zat in de keuken, alsof de toekomst van hun zoon haar niet aanging. Waarom hadden die twee een kind? Het was hun overkomen, leek wel.

En zo kwam Thomas twee keer in de week na schooltijd bij haar thuis. Ook op weg van school naar haar huis bleef hij achter haar lopen.

'Kom toch eens naast mij.'

Koppig als een dier schudde hij zijn hoofd.

Eindeloos veel geduld; gelukkig dat ze dat had. Ze probeerde eerst ook thuis de schooljuffrouw uit te hangen, maar dat ging haar in haar eigen omgeving niet goed af. Dan praatte ze te hard. Ze had medelijden met dat iele joch dat haar met zijn blauwe ogen zwijgend aanstaarde. Tijdens die bijlessen merkte ze dat Thomas modale woorden als 'een beetje', 'misschien', 'zo ongeveer', 'vrijwel' en 'bijna' niet begreep. Alle nuanceringen in een zin ontgingen hem, ook als hij las, met een onnatuurlijke klemtoon op de werkwoorden. Taal was voor hem een stuk gereedschap, hard en doelgericht. Je moest er je omgeving mee in gang kunnen zetten, belonen, straffen. Zo ging dat er thuis bij de Boenders aan toe. Doe dit, laat dat. Zo niet, dan volgden er klappen.

Na afloop van een bijles speelde ze een keer een stukje op haar oude Franse piano. Niet dat ze goed spelen kon, een paar stukjes maar die ze tijdens haar onderwijzersopleiding had geleerd. Een deel uit *Het Zwanenmeer* van Tsjaikovski, een eenvoudige fuga van Bach, een paar ouderwetse schlagers en haar favoriet, 'Greensleeves'. Ze zag dat Thomas ervan genoot. Als zij speelde schoof hij een stoel bij en kwam naast haar zitten. Hij tuurde naar haar vingers op de toetsen.

'Zal ik je leren spelen,' had ze op een middag gevraagd. Hij had driftig geknikt. En zo leerde ze hem behalve woorden en zinnen ook de betekenis van het notenschrift, hoe je die zwarte bolletjes door middel van pianotoetsen tot muziek kon maken, kon laten klinken. Hij was een snelle leerling. De jongen was beslist muzikaal. Na een halfjaar kon ze hem niets meer leren.

Het viel haar op dat hij nooit naar de toetsen keek. Hij leek het notenbeeld op de muziekstandaard zonder enige moeite in zich op te nemen en foutloos te reproduceren.

Met taal schoot het daarentegen niet echt op. Thomas sprak over zichzelf nooit als 'ik'. Als hij zichzelf bedoelde zei hij 'Thomas'. Hij zat niet in zichzelf, hij keek naar zichzelf, van buitenaf als het ware. Alsof hij het over een ander had. Ook zijn woorden waren niet zijn eigendom. Hij sprak ze uit alsof hij ze te leen had. Lezen kon hij, maar als hij iets hardop moest lezen, hoorde ze dat hij maar half begreep wat er stond. De achterstand die hij als kleuter had opgelopen viel niet meer in te halen.

Zijn agressie in de klas werd minder. Hij beet niet langer letterlijk van zich af, maar begon in plaats daarvan te schelden. Jenny beschouwde dat als een vooruitgang. Vriendjes had hij niet. Als de school om drie uur uitging zag ze hem altijd alleen de weg tussen de rietkragen naar huis lopen. Kon ze maar wat meer voor die jongen doen. Hem een tijd bij haar in huis nemen of zo. Daar dacht ze wel eens over.

* * *

Wat Thomas deed als hij thuiskwam? Hij groef gaten in de grond rond het huis, op zoek naar potscherven van 'vroegere beschavingen', zoals hij dat in een boek uit de schoolbibliotheek gelezen had.

De terp was eigenlijk een opeenhoping van alles wat vroegere bewoners hier in de loop van honderden jaren hadden achtergelaten. Helemaal bovenop stond het huis waarin zij woonden. Ook dat zou op een dag in elkaar storten en opgenomen worden in de terp. Het enige wat van hun levens overbleef zouden scherven zijn, of zoiets als die verbogen tinnen lepel die hij op een middag opgroef. Daaraan dacht hij, de met aarde besmeurde lepel langzaam tussen zijn vingers ronddraaiend. Hoe alles op den duur uit elkaar zou vallen.

Als Jelle van het land kwam gooide hij de kuilen steevast met een van woede vertrokken gezicht dicht. 'Blijf met je poten van mijn erf,' riep hij dan en hij trok Thomas met een ruk aan zijn haren overeind.

Op zolder had Thomas de kleine kamer aan de voorkant van het huis. Voor het schuine dakraam stond een tafeltje waaraan hij zijn huiswerk maakte of zomaar wat naar buiten staarde. In de herfst kon hij urenlang kijken hoe de steeds dikker wordende mist de contouren van de her en der verspreide boerderijen en schuren langzaam verdoezelde tot ze eruitzagen als donkere in het landschap neergeknielde dieren. In de winter tintelde de rijp op het stijf bevroren gras. In de lente kwamen de eerste koeien naar buiten en stormden met de staarten omhoog achter elkaar aan door de weilanden zodat de kieviten en andere weidevogels in paniek weg wiekten. 's Zomers was hij tot laat in de avond buiten. Dan wandelde hij naar het gebied dat De Graven werd genoemd en waar vroeger turf werd gestoken. Nog kon je de lange afgegraven stroken naast elkaar in het land zien liggen, van elkaar gescheiden door met rietkragen omzoomde sloten en vaarten. Daar zat hij aan de waterkant en luisterde naar de vogels of dacht aan de piano van juffrouw Jenny, die wilde dat hij 'ik' zei als hij 'Thomas' bedoelde.

Daar bij De Graven ontdekte hij iets in zichzelf. Het had te maken met een jongen in zijn klas, Evert. Evert had bolle wangen, vochtige lippen en schouders die, zoals Thomas tijdens gymnastiekles gezien had, bedekt waren met een donslaagje van donkere haartjes. Als hij aan Evert dacht kwam de rest vanzelf.

Tsjitske hield er een strak schema op na. Thomas hoefde maar op haar activiteiten te letten om te weten wat voor dag van de week het was. Wasdag: maandag; strijken: dinsdag; schoonmaken: woensdag; werken in de kleine

moestuin aan de zuidkant van het huis: donderdag; boodschappen doen in het dorp: vrijdag (soms mocht Thomas dan mee op de fiets met Tsjitske, die tegen de wind
in voorovergebogen met de zware fietstassen vol boodschappen voort trapte); op zaterdag had ze zangkoor in
het gemeenschapshuis en alleen op zondag deed ze niets.
Dan zaten Jelle en zij naast elkaar voor het huis op de
stoelen die ze vanuit de keuken mee naar buiten hadden
genomen. Ze keken voor zich uit. Als het slecht weer was
of te koud om buiten te zijn zaten ze tegenover elkaar
aan tafel. Tsjitske loste kruiswoordpuzzels op in een tijdschrift dat ze bij de kruidenier had gekocht, Jelle viel op
de bank in slaap, met afgewend gezicht, zijn handen tot
vuisten gebald. Vaak liet Tsjitske hem daar liggen, bang
dat als ze hem wakker maakte, hij haar zou dwingen mee
naar boven te gaan.

* * *

Thomas bleef na schooltijd steeds langer bij juffrouw
Jenny hangen, tot ze hem op het glas van haar horloge
tikkend te kennen gaf dat hij naar huis moest. 'Anders
worden je ouders ongerust.' Thomas haalde zijn schouders op en schudde zijn hoofd. Maar zij wist beter. Hij
moest stipt op tijd voor het eten thuis zijn, anders zwaaide er wat en zou zij de schuld krijgen. Zij bleef de 'stadse',
import, en daarom nooit helemaal te vertrouwen. Ze kon
het dialect van de streek verstaan, maar sprak het niet.
Dan bleef je buitenstaander, wat je ook deed, wat je ook
zei. Ze begrepen je wel maar keken een beetje spottend,
alsof je mensen die zo spraken nooit helemaal serieus kon
nemen.
    Thomas keek naar haar, aandachtig en lang, en glim-
lachte toen.

'Waarom moet je lachen?'

Hij wees op de piano. 'Uw haar en de piano: hetzelfde, zelfde kleur,' zei hij, wijzend. Onwillekeurig tastte ze naar haar opgestoken lichtbruine haar.

Eén keer, toen ze in de keuken was om thee te zetten, had hij haar hooggehakte schoenen aangetrokken en was er met zwikkende enkels mee door de kamer geklost.

Ze moest hem over de foto's vertellen die boven het dressoir hingen. 'Die man met die scherpe kin is mijn vader, die vrouw met die witte pofmouwtjes en die gehaakte zwarte handschoentjes mijn moeder. Ze leven allebei niet meer.'

'Dood,' vroeg hij.

'Ja, sommige mensen worden nu eenmaal niet oud.'

Thomas knikte peinzend.

Begreep hij wat dood zijn betekende?

'Wisten ze dat?'

'Nee, geen mens weet hoe oud hij wordt.'

Ze moest oppassen dat ze zelf ook niet zo werd als de mensen hier. Daarom hield ze ervan verhalen te vertellen. Op school las ze vaak voor. Dan keken de kinderen met open mond toe. Ze luisterden gretig, maar ze herinnerde zich vooral hun ogen, gefixeerd op haar bewegende, volle lippen, op haar mond waar onafgebroken woorden uit stroomden, verhalen. Met sprookjes hoefde ze niet aan te komen. De kinderen wilden alleen echt gebeurde verhalen horen. Als ze ook maar iets van de werkelijkheid afweek werd ze onmiddellijk op haar vingers getikt. Dat dat niet kon. Geen verzinsels alsjeblieft.

* * *

14

De laatste twee klassen zat Thomas bij meester Schaafstra, die hem achterin zette, hem zelden een beurt gaf en
van mening was dat Thomas niet achterlijk was maar dat
het niet veel scheelde. Alleen het vak aardrijkskunde leek
iets in hem los te maken. Uren kon hij in de atlas bladeren.

Ook toen Thomas van school af was en naar het vmbo
in de provinciestad D. ging, bleef hij juffrouw Jenny regelmatig opzoeken. Ze vroeg naar zijn schoolprestaties.
Daar reageerde hij nauwelijks op, schokschouderde wat
en vroeg dan of hij nog wat op haar piano mocht spelen.

Hij was de laatste tijd gegroeid. Ook in de breedte. Zijn
grijze slip-over spande om zijn borst. Op de vraag wat hij
wilde gaan doen als hij van school af was antwoordde hij:
'Terug naar de terp.' Terug naar de terp. Alsof iets anders
uitgesloten was.

En zo gebeurde het ook. Na twee jaar was hij van school
gegaan. Nu moest hij maar gaan werken, vond Jelle. Tsjitske maakte 's morgens boterhammen voor hem klaar als
hij door weer en wind op zijn fiets naar de fietsbandenfabriek moest, waar hij in het magazijn werkte. Op magazijn, zoals dat werd genoemd.

Zo had het zijn hele leven door kunnen gaan. Met hoe
weinig kan een mens toe? Ook op zijn werk deed Thomas
er meest het zwijgen toe. Daarom werd hij de 'de stille'
genoemd. Maar ergens vanbinnen gebeurde er iets met
hem. Alsof hij zich langzamerhand bewust werd dat er
een uitweg moest zijn.

In het begin was het misschien niet meer geweest dan
een nauwe spleet waar een aarzelend licht doorheen sij-
pelde, maar toen, op een dag, zag hij een werkelijke door-
gang. Het was alsof het land om hem heen langzaam

week, voor het eerst plaats voor hem maakte. Hij voelde zich niet langer ondergeschikt; niet aan het land, niet aan de mensen. Het licht leek lichter. Maar zijn werk durfde hij nog niet los te laten. Hij deed samengebonden bundels buitenbanden in dozen zonder erbij na te denken. Hoe het op zijn werk geweest was, vroeg Tsjitske, zoals zij hem vroeger had gevraagd hoe het op school was gegaan. 'O goed,' antwoordde hij dan. Jelle vroeg nooit iets.

Soms sloeg Jelle plotseling met kracht zijn handen in elkaar, alsof hij een besluit had genomen en beende de deur uit. Dan bleef hij lang weg. 'Je vader houdt niet van binnen zitten,' zei Tsjitske. 'Het is een ongedurig mens.'

'Ongedurig om wat,' vroeg Thomas.

'Dat weet ik niet,' zei Tsjitske. 'Gewoon, ongedurig. Zo is hij altijd geweest.'

'Je kunt veranderen,' zei Thomas.

'Je vader niet. Hij is wat hij is.'

Thomas legde zich daar niet bij neer. Al sloeg Jelle hem niet meer, toch was hij nog steeds bang voor hem. Er woedde iets in zijn vader. Zijn zwijgen zit vol messen, dacht hij wel eens. Hij is gevaarlijk. Moeder ziet het niet. Maar op een dag...

Op die dag wilde hij niet wachten.

Hij was achttien toen hij op een middag het huis op de terp achter zich liet. Jelle was ergens aan het werk en zijn moeder, wist hij, was boodschappen doen. Van zijn loon had hij vijfhonderd euro gespaard. In het onderste laatje van het dressoir lag zijn paspoort. Hij stopte het in zijn achterzak en besefte dat dit zijn afscheid definitief maakte.

In het dorp nam hij de bus naar D., waar hij de trein naar Amsterdam nam.

2

Aan het begin van zijn reis reed de trein door de hem zo vertrouwde weilanden, langs boerderijen, kale maïs- en tarwevelden, voorbij grazende koeien en groepjes paarden die bij het naderen van de trein weg galoppeerden, maar hoe verder de reis vorderde, des te dichter werd de bebouwing aan weerskanten van de spoorlijn. Al die wonende mensen! De gedachte maakte hem duizelig. Wat hem nog meer verwarde waren de stemmen om hem heen. Hij moest er zijn ogen voor sluiten. De meeste reizigers zaten met hun mobiele telefoon te bellen en vertelden dat ze nu in de trein zaten, wat Thomas nogal logisch en daarom nogal dom vond. Thuis op de terp waren geen mobiele telefoons. Alleen meester Schaafstra had er een. De meeste mensen hadden een vaste telefoon, maar die werd alleen voor noodzakelijke mededelingen gebruikt; bestellingen opgeven aan de winkel, het bellen van de dokter, het feliciteren van een jarig familielid.

De trein minderde vaart, ze naderden Amsterdam. Nergens zag hij meer grasland, grazende dieren. Rijen huizenblokken van minstens vier verdiepingen hoog. Op elkaar gestapelde kamers waarin mensen woonden. Op een van de kleine balkons zat een kind op een rood fietsje.

Op het perron volgde hij een stroom mensen naar de uitgang. De meeste hadden koffers, sport- of aktetassen bij zich, hij had alleen zichzelf. Zijn zweterige rechterhand hield de portemonnee met de vijfhonderd euro in zijn broekzak omklemd. Op de terp werd Amsterdam als een gevaarlijk oord gezien vol messentrekkers en drugs-verslaafden. Uit de luidsprekers boven in de overkapping kwam een stem die hij niet verstond. Door een lange betegelde gang met aan weerszijden winkels schuifelde hij tussen de reizigers het station uit.

Het station van Amsterdam lag op een eiland. Dat had hij een keer op een foto gezien. Plaatjes vergat hij nooit. Buiten op het stationsplein knipperde hij tegen het felle zonlicht dat in blikkerende vonken opsprong uit het water voor hem. Een jongen met vet haar, dat met gedraaide vlechtjes stijf van zijn hoofd af stond, graaide in een groene afvalbak. Een neger. Natuurlijk wist Thomas dat er mensen met een gekleurde huid bestonden, maar op de terp en in de dorpen eromheen had hij er nooit een in het echt gezien. Of ja, toch. Een donkere man met kroeshaar. Maar die sprak het dialect van de streek en kon dus onmogelijk een echte neger zijn.

De stroom wandelaars zwol aan toen hij het stationsplein overstak en in een straat met een breed trottoir kwam. Links van hem reden trams en daarachter glinsterde opnieuw water. Uit de winkelgevels rechts staken reclameborden met schreeuwende teksten in felle kleuren. Hij liep eronderdoor. Het hele alfabet leek zich op hem te willen storten. Niemand sloeg acht op hem, zoals hij daar liep in zijn grijze terlenka broek, zijn mosgroene windjack, zijn handen diep in zijn zakken. Hij werd gedwongen in beweging te blijven. Als hij een ogenblik stilstond botsten er van achteren mensen tegen hem op die hem toesnauwden zonder hem in het voorbijlopen een blik waardig te keuren.

De straat kwam uit op een groot plein waaraan het koninklijk paleis en een kerk stonden. Aan de gevel van de kerk hing een langwerpig kleurig banier waarop een tentoonstelling van uitheemse kunstschatten werd aangekondigd. Misschien kon hij daar even naar binnen gaan, een moment ontsnappen aan de drukte om hem heen.

Bij de openstaande toegangsdeur werd hij aangehouden door een man in een donkerblauw uniform. Hij moest eerst een kaartje kopen. De man wees naar een kassa iets verder achter in de hal waar een meisje met opgestoken blond haar zat. Thomas draaide zich om en liep het portaal uit. Hij wist niet dat je in Amsterdam moest betalen om een kerk binnen te mogen. De kerk van het dorp stond altijd open. Hij ging er wel eens naar binnen als hij alleen wilde zijn, alleen met de hoge witgepleisterde muren en het getjilp van een verdwaalde mus ergens tussen de balken en dakspanten.

Thomas stak de rijweg over tot hij op het plein stond dat bestraat was met in waaiervorm gelegde ronde klinkertjes. Dit was nu de Dam. Op het plein was het rustig. Aan de zijkant stond een zilveren meisje op een kistje. Ze stond daar roerloos en zwijgend. Een lang, mager lijf. En helemaal van zilver. Voor het kistje lag een donkere vilthoed, waarin een paar muntstukken glommen. Thomas bleef staan. Hij keek naar haar en glimlachte. Eindelijk een rustpunt. Het meisje hield haar armen uitgestrekt alsof ze de duiven die om haar heen cirkelden dirigeerde. Alleen haar handen waren niet van zilver. Haar gezicht was spierwit geschilderd, waardoor haar donkere ogen op gaten leken. Opeens veranderde ze van houding. Thomas schrok ervan en het meisje kon een kort lachje niet onderdrukken voordat ze opnieuw roerloos voor zich uit staarde. Thomas wist niet wat hij van haar denken moest. De meeste mensen liepen voorbij zonder naar haar te kijken. Alleen Thomas – hij stond daar maar, niet alleen voor haar maar ook omdat hij geen idee had waar hij heen moest. Hij had weg gewild van de terp, van zijn ouders, van de fietsbandenfabriek, van een loerend gevaar. Nu stond hij hier alsof hij zelf een standbeeld wilde worden.

Een vrouw met een groen regenhoedje vroeg of hij de weg kwijt was; een man met een alpinopet of hij soms een hotel zocht. Thomas schudde zijn hoofd en bleef staan. Het zilveren meisje keek naar hem. Toen wenkte ze hem. Eerst dacht hij dat het om een nieuwe pose ging, maar toen ze bleef wenken kwam hij aarzelend dichterbij.

'Hello,' zei het meisje in het Engels. Ze wees op de hoed met de munten. 'No money, no food, no nothing.'

Engels verstond hij wel een beetje, dat had hij op school gehad. Alleen spreken kon hij het maar met moeite. 'I have,' zei hij. Hij liet haar zijn portemonnee zien en maakte hem open.

Het meisje keek erin, de lege hoed in haar hand. 'My name is Chris.'

'Me Thomas,' zei hij en hij glimlachte naar haar gezicht, dat er van dichtbij minder afschrikwekkend uitzag. Ze reikte hem het kistje aan, alsof hij vanaf nu bij haar in dienst was.

Naast elkaar liepen ze door de stad. Chris praatte en hij knikte zo nu en dan. Ze kwam uit Engeland. En hij?

Hij wees achter zich. 'North,' zei hij. 'From the north.'

Maar was hij wel Nederlander?

Ja, dat was hij wel.

Chris kende de weg. Ze was hier voor de derde keer, studeerde aan een toneelschool in Londen en was nu op vakantie. Theatre, school, London. Dat begreep hij, die woorden vormden samen een ketting, een verhaal.

'En jij,' vroeg ze en ze legde een van haar zilveren armen op zijn groene windjack, 'wat doe jij?'

Thomas zei dat hij niets, nothing, deed. Rondkijken.

Ze lachte. 'Dan ben je zeker rijk van jezelf.'

Ze liepen door een openstaand hoog hek een park in. Chris wees op een in chalet-stijl gebouwd huis van vier verdiepingen, even verderop aan de rechterkant. 'Dat is de jeugdherberg. Hier slaap ik. En jij?'

Thomas haalde zijn schouders op. Hij wist het niet, echt niet.

'Kom maar mee,' zei ze. 'Er is vast nog wel plaats.'

Die avond aten ze een hamburger op een van de terrassen in het park. 'I pay,' zei Thomas, die er plezier in schepte iets voor het meisje zonder geld te doen. Thuis gaf hij nooit geld uit.

Na de hamburger trakteerde hij haar op een cola en toen op koffie. Betalen was leuk werk. Hij voelde zich er goed bij en ook Chris leek er plezier in te hebben. Ze had zich in de jeugdherberg omgekleed. Ze droeg nu een paars T-shirt en een blauwe spijkerbroek met gympen. Haar gezicht had ze gewassen en op haar wangen gloei-den twee roze blosjes. Ze wees hem op een roerloze rei-ger die met een opgetrokken poot aan de rand van een vijver stond. 'Kijk,' zei ze, 'die doet hetzelfde als ik.'

Toen ze terugliepen naar de herberg vroeg ze of hij met haar mee wilde. 'Ik wil kijken of ik morgen Neder-land uit kan komen. België, Frankrijk, alles is goed.'

'Okay,' zei Thomas, 'okay, I go, I go with you.' Zo was het leven dus, dacht hij, afwisseling, verandering. Beta-len en dan ergens komen. Dat was het echte reizen. Chris had een doel en hij daarom nu ook.

In het benedenbed op de mannenslaapzaal dacht hij aan het zilveren meisje. Eigenlijk bestond ze uit twee meisjes, een rank en van zilver en een gewoon meisje met een bre-de mond, bruine ogen en iets te grote voeten. Midden in deze drukke stad vol haastige mensen had hij haar leren kennen. Of had zij hem uit velen gekozen. Twee mensen die eerst stilstonden en daarna samen optrokken.

3

Toen Jenny in de dorpswinkel hoorde dat de zoon van de Boenders van huis was weggelopen ging ze bij hen langs. Ze deden alsof het allemaal heel gewoon was. De jongen was 'm gesmeerd. Dat deden er wel meer.

Jelle, in een aanval van plotselinge spraakzaamheid: 'Hij hoeft ook niet meer terug te komen. En als hij het toch waagt dan breek ik hem zijn poten, zodat hij hier nooit meer weg kan.'

Terug naar de terp. Plotseling schoten haar die woorden van Thomas te binnen. 'Maar mevrouw.' Ze probeerde het bij de moeder, maar die keek alleen maar angstig naar haar man, die zijn grote handen met zwarte nagels en gespreide vingers op de knieën van zijn corduroy broek had geplant, één brok onverzettelijkheid. 'We moeten toch iets doen,' zei ze tegen geen van beiden in het bijzonder.

Ze zaten in het schemerdonker. Tsjitske had een kop thee voor haar neergezet en keek haar afwachtend aan. Jelle keek naar buiten, waar een man in een blauwe overall op een tractor door het land reed. Ze stelde voor naar de politie te gaan, hem als vermist op te geven. Dan kon er naar hem worden gezocht. Jelle draaide zich om, zijn kaken spanden zich, hij kneep zijn ogen tot spleetjes. 'Geen politie.' Een bevel. Jenny keek de kamer rond. Een bijna angstig glimmende vloer, geen kruimel te ontdekken. Aan de muur een Tomado-draadrekje waarop een paar oude tijdschriften lagen. Verder waren de muren kaal.

Er was geen doorkomen aan. Jenny stond op en gaf

Jelle en Tsjitske een hand. Nee, het was geen wonder als een mens uit dit huis wegliep.

De herfst stond op het punt te beginnen, dat kon je merken aan het donkerder wordende groen van de elzen en populieren, in lange rijen langs de vaarten en kaarsrechte wegen. Ze woonde niet ver van het schooltje. Zou ze langs de bovenmeester gaan? Maar Thomas was allang van school af, al vier jaar, dus wat moest ze? Door hem was ze dagelijks achter de piano gaan zitten, had zelfs een mazurka van Chopin ingestudeerd, speciaal voor hem. Nu hij weg was sloot ze de klep van de piano en verfde haar haar blond. Ze was in de rouw, al realiseerde ze zich dat niet, maakte ze zichzelf wijs dat ze er met blond haar jonger uitzag.

Waar zou hij zitten? Ze belde de fietsbandenfabriek, maar ook daar wisten ze van niets. Hij was gewoon niet meer komen opdagen. Ze besefte dat het hier niemand iets kon schelen waar Thomas uithing. Dat zij daarin alleen stond.

De volgende dag reed ze na schooltijd naar het politiebureau in D. Het schemerde al toen ze aankwam. De dienstdoende agent leek niet veel ouder dan Thomas. Uit zijn rechterwenkbrauw stak een harde zwarte omhoog krullende haar, als een voelhoren. In zijn mondhoeken kleefden kruimels van de boterham die hij kennelijk net had zitten eten. Hij luisterde naar haar verhaal en schudde toen zijn hoofd. 'De ouders moeten zelf aangifte komen doen.'

Jenny zei dat ze dat niet wilden.

'Waarom niet?'

Dat wist ze ook niet.

In het donker fietste ze terug. Zo nu en dan trok een

kille mistflard laag over de weg. In het dorp waren de meeste ramen al donker. Ze zette haar fiets tegen de pui en deed de deur van het slot. Een fijn spinrag plooide zich als een hand over haar gezicht. Wild sloeg ze de kleverige draden van zich af en stapte naar binnen, haastig alsof iemand haar op de hielen zat.

Ze trok haar jas uit en zette een ketel water op voor thee.

Je moet je erbij neerleggen, Jenny, dacht ze, roerend in haar kopje. Ze zag het gezicht van Tsjitske Boender voor zich. Vroeger moest het mild en zacht zijn geweest, maar de tijd had haar wangen strakgetrokken, haar dunne hals zat vol rode vlekken, haar gekruiste handen wreven nerveus over de mouwen van haar donkerblauwe jurk. De vader was een hopeloos geval, een norse kerel die ieder ogenblik in razernij kon ontsteken. Een ongenoegen dat geen uitweg kon vinden. Maar Tsjitske, zij moest toch van haar zoon houden? Je moet je er niet mee bemoeien, dacht ze. Niemand bemoeit zich hier met iemand.

4

Chris zwaaide toen Thomas de eetzaal van de jeugdherberg binnen kwam. Ze droeg dezelfde kleren als gisteren. Haar zilveren kostuum zat waarschijnlijk in de groene weekendtas, die naast haar op de grond stond. Toen hij bij haar aan tafel ging zitten wees ze op twee blonde jongens tegenover haar, 'Jim and Anthony'. Amerikanen die vandaag naar Parijs reden. Zij konden meerijden als ze wilden.

Thomas stak zijn hand naar de jongens uit. Een van hen rook naar aftershave. Een zoetige walm. Allebei waren ze een beetje te dik. De ene droeg een roze, de andere een marineblauw T-shirt boven een blauwe spijkerbroek. Zo nu en dan lachten ze hoog. Thomas begreep niet waarom. Misschien vanwege zijn Engels.

Hij pakte een boterham uit een mandje, smeerde er margarine op en belegde de snee met een dun plakje boterhamworst. Chris was in een druk gesprek met hen gewikkeld. Thomas begreep niet wat ze zeiden, maar dat gaf niet. Ze hadden het over Parijs. Het geluid van hun stemmen was aangenaam om te horen, zangerig, een beetje temend. Soms keken Jim en Anthony naar elkaar alsof zij iets bij elkaar zochten.

Parijs. Het enige wat Thomas over Parijs wist, stond in het aardrijkskundeboek waaruit hij op school had geleerd. De Eiffeltoren, de Seine, de Notre-Dame.

De Amerikaanse jongens stonden op. Ze zouden elkaar over een kwartier in de straat achter de jeugdherberg ontmoeten. Daar stond hun auto.

Chris nam Thomas apart. 'Ik heb beloofd dat wij de

helft van de benzine betalen. Goed?'

Hij knikte. 'Thomas is okay,' zei hij.

Ze pakte hem bij zijn neus en wrikte die even snel heen en weer.

'Niet doen,' zei hij, 'do not.'

Chris propte haar tas achter in de bagageruimte van de groene Volkswagen tussen de sporttassen van Jim en Anthony en ging toen naast hem achterin zitten. Wat zouden het voor jongens zijn, vroeg hij zich af. Ze zagen er zacht en buigzaam uit, hun nagels waren schoon. Hij kon zich niet voorstellen dat ze ooit gewerkt hadden, zoals hij in de fietsbandenfabriek. Misschien waren het studenten.

Anthony reed. Jim zette de radio aan en meteen weer uit. Hollands vond hij maar een raar taaltje. 'Vind je niet, Thomas?'

'My English is not good.'

'Good enough,' zei Jim, hij draaide zich om en streelde Thomas even over zijn blonde haar. 'You've got nice ears, do you know that?'

Wat? Hij keek Chris vragend aan. Chris tikte met een nagel tegen zijn oorlelletje en zei met een langgerekte o: 'Moooooi.'

Thomas hield ervan te zwijgen en te luisteren. Als hij de woordenstroom van anderen niet langer kon bijhouden sloot hij zijn ogen.

Jenny had hem geleerd hoe hij zinnen moest maken. Dat voelde aan als het boetseren met klei, even moeizaam. Daarom ging hij ingewikkelde zinnen zoveel mogelijk uit de weg of hield hij halverwege zijn mond; hij had gemerkt dat de meeste mensen zo ook wel begrepen wat hij wilde zeggen. Jenny zei dat hij niet zo lui moest zijn, meer met andere mensen moest praten. Maar wat viel er te praten? En Engelse woorden moesten eerst ook nog eens vertaald worden. Dan pas kon hij ze begrijpen. Geen zin in. Hij draaide zijn hoofd weg en keek naar buiten.

Ze hadden Amsterdam achter zich gelaten. De boerderijen waar ze langsreden waren anders dan in het noorden. Hoger en beter in de verf. Het vee was roodbont en er liepen zelfs zwarte schapen rond.

'Black sheep.' Hij was trots dat hij de Engelse woorden voor wat hij zag zo gauw gevonden had.

De Amerikaanse jongens voorin lachten. 'Black sheep of the family.'

Chris sloeg hem op zijn schouder en riep: 'He ran away from home.'

Ze had het over thuis, over de terp. Hij keek haar onderzoekend aan. Wat wou ze daarmee zeggen?

Ze gaf geen antwoord.

Hij liet zich tegen het portier zakken en sloot zijn ogen. De stemmen klonken steeds gedempter tot ze helemaal uit zijn hoofd verdwenen.

Hij werd wakker toen ze bij een benzinestation stopten. Een zelfbedieningspomp. Jim bewoog het stalen uiteinde van de slang tussen zijn benen op en neer.

Chris moest erom lachen. 'Naughty boy,' riep ze en ze bewoog haar rechterwijsvinger bestraffend heen en weer.

Thomas was de enige die in de auto bleef zitten. Ze riepen iets tegen hem dat hij niet begreep. Chris maakte het portier open, boog zich voorover en vroeg hem iets. Hij begreep haar niet. Nu wees ze op zijn gulp. O, dat. Hij knikte, stapte uit en liep naar de zijkant van het benzinestation waar een bordje met het woord TOILET uit de muur stak.

Jim liep achter hem aan. Thomas hield de deur voor hem open en liep toen naar een van de urinoirs en ritste zijn gulp open. Opeens voelde hij dat de Amerikaanse jongen vlak achter hem kwam staan. Hij duwde zijn onderlijf tegen hem aan terwijl zijn hand Thomas' pik vastgreep, die onmiddellijk stijf werd. Thomas bleef doodstil staan terwijl de jongen hem met voorzichtige bewegingen begon af te trekken. Toen hij klaarkwam steunde hij met beide handen tegen de tegelwand voor zich. Hij voelde natte lippen in zijn hals en rilde.

'You're moooi,' fluisterde Jim achter hem en liet hem toen los.

Jim ging weer achter het stuur zitten en deed alsof er niets gebeurd was. Hij knipoogde alleen maar even tegen Anthony, die zijn benen over elkaar sloeg. Chris was in slaap gevallen. Thomas' hart bonsde. Hij begreep niet wat hem net was overkomen. Maar hij wist wel dat hij dit wilde, altijd gewild had als hij zich thuis boven op het zolderkamertje bevredigde. Sterke armen om je heen en de zoetige geur van Jims aftershave. Zijn handen trilden. Hij stopte ze diep in de zakken van zijn broek, waar zijn vingers de portemonnee omklemden.

Toen ze in de buurt van Parijs kwamen, stonden er rijen billboards langs de snelweg met teksten die Thomas niet kon lezen. Nooit gehad op school, Frans. Ze kwamen voorbij bedrijventerreinen vol loodsen en kantoren en gigantische supermarkten met grote parkeerhavens ervoor en soms, opeens, zo'n klein stukje braakland waar een ezel met een grijze snoet zich schurkte tegen een los in het land staande schutting. 'Donkey,' zei hij zachtjes, maar de anderen hoorden hem niet, verdiept als ze waren in het volgende obstakel dat hen te wachten stond: de rondweg om Parijs, de périphérique. De discussie ging over welke afslag ze moesten nemen, zoveel begreep Thomas er wel van. Links en rechts van hem reden lange rijen vrachtwagens. Hoge geluidsschermen maakten ieder uitzicht onmogelijk. Jim stuurde de Volkswagen naar de rechterrijstrook. Thomas zag een kraai boven op een brandende lichtmast zitten. Zulke dingen vielen hem te midden van al die beweging op, daar klampte hij zich aan vast als al dat bewegen om hem heen hem te veel werd. Midden op de dag brandde die lichtmast. Waarom? Kwam die kraai soms op het licht af? Het was niet nodig daar een antwoord op te geven, het stellen van de vraag was hem genoeg. Over vragen kon je verder nadenken, antwoorden vergat hij altijd meteen. De kraai had zijn kop met korte rukjes naar rechts en links bewogen alsof hij ergens op wachtte. Hoe lang zou hij op de mast blijven zitten voor hij wegvloog?

Ze reden nu door brede straten met aan weerskanten bomen die Thomas niet kende. Hun gevlekte stammen bogen licht naar voren zodat de breed uitstaande bladeren elkaar in de lucht raakten en een dak boven de straat vormden. Overal waren winkels, liepen mensen met plastic boodschappentassen in en uit.

Ze kwamen op een groot plein. Toen zag Thomas hem opeens, daar in de verte: de Eiffeltoren. Hij schreeuwde en wees. Hij had iets in al dat onbekende herkend.

Alleen Chris reageerde. 'Ja,' zei ze, 'morgen gaan we daarheen. Goed?'

Ze reden over een brug boven een brede rivier waaraan enorme gebouwen stonden, een soort paleizen. Dit moest de Seine zijn. Jim dirigeerde de auto naar het trottoir.

'Zet ons er hier maar uit,' zei Chris. 'Ik steek de Rue de Rivoli over en dan ben ik er.'

Ze namen op straat afscheid van elkaar. Chris nam haar tas van Anthony aan. Uitwisseling van kussen waaraan Thomas geen deel had. Hij moest het met een nonchalante handzwaai doen.

Chris leek overal waar ze kwam precies te weten waar ze heen moest. Dat bewonderde Thomas in haar, de zelfverzekerdheid waarmee ze op haar doel afstevende. Van alle markten thuis, noemde je dat.

Links op het plein dat ze overstaken stond een hoog gebouw met op iedere hoek een toren. Dat was de townhall van Parijs, zei Chris. Dat woord kende hij. Thomas knikte. Hij moest zich beheersen om in al die drukte niet haar hand vast te pakken.

Ze staken een brede straat over. Chris wees op een van zijn broekzakken. 'Geef me wat euro's, ik wil even ergens zitten.'

Hij haalde een biljet van tien euro tevoorschijn en keek haar vragend aan.

Ja, dat moest genoeg zijn.

Ze gingen op een terras zitten. Een donkere man met een snor en een bruine voorschoot vroeg wat ze drinken wilden. Ze bestelde koffie. De Franse koffie smaakte anders dan de koffie thuis, die de hele dag in een ketel op de spaarbrander van het fornuis warm stond te blijven. Thomas gooide nog een suikerklontje in zijn kop.

Een tijd lang zaten ze zwijgend naar voorbijgangers te kijken. Er schuifelden kleine, kromgetrokken vrouwtjes voorbij met scheef hangende rokken, soms in gezelschap van een trippelend hondje. Een man op krukken maakte een tikkend geluid op de straattegels.

Chris begon een verhaal. Het ging over een hotel, dat woord herkende hij omdat het in het Nederlands hetzelfde was. Hij had nog nooit in een hotel geslapen.

Ze liepen door een buurt vol kleine straatjes. Le Marais, zo heette die buurt. Chris herhaalde het een paar keer, Le Marais, en wees op de oude huizen waar ze langs liepen. Voor een glazen deur in een inham van een van de straatjes bleef ze staan. Het woord 'hotel' stond op de deur en dan nog iets dat hij niet thuis kon brengen, waarschijnlijk de naam van het hotel.

De bordeauxrode loper in de hotelgang zat vol slijtplekken. Terwijl Chris in het Frans met een kalende man in een mouwloos vest achter de receptiebalie sprak, keek hij naar die plekken. Ook dit hotel zou eens in elkaar zakken, verdwijnen en vervangen worden door een ander gebouw. Onder de straten buiten lagen vast en zeker de fundamenten van huizen die hier heel vroeger hadden gestaan.

Hun kamer op de derde verdieping keek uit op de duifgrijze daken. Thomas stond voor het raam en keek naar de gietijzeren balkons aan de overkant van het straatje; aan sommige hingen bakken met rode geraniums. Net zulke geraniums als zijn moeder aan weerszijden naast de voordeur in groene plantenbakken had staan.

Achter hem plofte Chris op het tweepersoonsbed met de bruine deken. Toen hij zich omdraaide zag hij dat ze in slaap was gevallen, haar benen opgetrokken. Zelf was hij niet moe. Hij ging op een stoel zitten en bekeek een tafeltje met ranke poten. Boven het bed hing een prent van een bosje klaprozen. Die hadden ze thuis ook staan, langs de akkers en in de bermen. Soms groeiden ze zelfs tussen het koren. Als je je ogen een beetje dichtkneep werden het rode veegjes in het geel.

Hij stond op en liep naar Chris' tas, die voor het bed stond. Voorzichtig trok hij de rits open. Daar lag de zilveren bodystocking. Hij nam de stof tussen zijn vingers. Die voelde dun en glad aan.

Toen Chris wakker werd schemerde het al.

'Kom,' zei ze, 'we gaan wat eten.' Ze wees op haar mond.

Thomas lachte. Ja, lekker, eten.

De tafeltjes in het restaurant stonden vlak op elkaar. Het was druk in de pijpenla, de obers en diensters konden maar net tussen de tafeltjes door, de schalen met gerechten hoog boven hun hoofd houdend. Ze bestelden vlees met gebakken aardappels en dunne boontjes. Thomas at gretig. Zo nu en dan ontsnapte hem een kort gegrom waar Chris om moest lachen. Ze noemde hem een hond. Nog niet eens zo gek gezien. A dog. Hij liep als een hond achter haar aan en voelde zich daar wel bij.

Na het eten vroeg ze hem om zijn portemonnee en betaalde de rekening. Ze veegde haar mond met een papieren servet af en gaf hem de portemonnee terug. Morgen. Ze spreidde haar armen met elegant naar beneden gebogen handen. Thomas knikte. Hij begreep haar. Ja, morgen gingen ze aan het werk. Ze liepen terug naar het hotel. Boven de ingang brandde een stallantaarn met een fel geel schijnsel.

Hij moest van haar onder de douche. Midden in een gordijn van druppels dacht hij aan Jim, aan het van diep uit zijn liezen opwellende gevoel voordat zijn zaad tegen de gewelfde wand van de pisbak spoot, aan die mollige maar voorzichtige Amerikaanse hand. Hij kreeg een erectie. Ze keek ernaar toen hij uit de douchecabine stapte. Daarom draaide hij zich van haar af en kroop in bed. Hij hoorde hoe zij zich uitkleedde. Even later hoorde hij de douche.

Toen zij nog een beetje vochtig van het douchen naast hem kroop, legde ze met een vanzelfsprekend gebaar haar arm om zijn middel, alsof ze een zusje van hem was. Dat

33

was een mooie gedachte, beter dan die over de hond. Ze zou zijn grote zus moeten zijn. Misschien kon dat. Langzaam voelde hij haar warmte in zijn rug trekken.

Zijn kleren lagen niet meer op de stoel bij het raam. Hij kwam overeind en wees.

Chris lachte. 'Ik heb ze gewassen,' zei ze. 'Voor je gaat stinken. Ik heb ze op de verwarming in de badkamer gehangen. Morgen zijn ze droog.'

Hij begreep niet wat ze zei, maar uit de geruststellende toon van haar stem leidde hij af dat alles in orde zou komen.

De volgende ochtend keek hij op zijn rug liggend hoe Chris zich met alleen een wit slipje aan in de zilveren bodystocking hees. Niet kijken, riep ze, maar aan haar gezicht zag hij dat ze het niet erg vond. Ze kon tenslotte zijn zusje zijn. Voor de spiegel in de hotelkamer bracht ze met een kwastje voorzichtig het blanketsel op haar gezicht en in haar hals aan. Zijn hemd en onderbroek waren droog; alleen zijn sokken waren nog vochtig. Hij had moeite ze over zijn voeten te trekken.

In een café schuin tegenover het hotel aten ze een croissant. Thomas had de oude zwarte hoed met de slappe rand in zijn hand. Chris pakte hem en plantte hem op zijn hoofd. Hij schaamde zich voor de lachende mannen om hem heen en schudde zijn hoofd.

'Sorry,' zei ze, 'sorry,' en ze trok de hoed van zijn hoofd.

Eenmaal buiten pakte ze hem bij een hand. Zo was het goed, zo voelde hij zich veilig. Ze liepen een lange trap af die onder het trottoir in de grond verdween. Een klamme lucht waarvan hij de geur niet kon thuisbrengen sloeg hem tegemoet. Lucht van zweet, stof en machineolie, maar dan sterk verdund. Ze stapten een roltrap op die hen nog verder de diepte in voerde. Aan weerskanten hingen ingelijste reclameposters aan de betegelde wand. Een vrouw die een boterham smeerde en daar kennelijk veel plezier aan beleefde, een kind met sproetige wangen dat in een plak koek beet. Van beneden kwam een metalig geratel hem tegemoet. Natuurlijk! De beroemde metro van Parijs! Opeens was hij niet bang meer.

Dit was een wereld onder de bovengrondse. Boven hem stonden huizen, raasden auto's, hier beneden ratelden de treinen het station in en uit.

Alle deuren gingen tegelijk open. Ze schoven tussen andere mensen door naar binnen. Thomas vond het rijden in de metro geweldig. Iedere keer doken de stations als verlichte eilandjes uit de duistere monding van de tunnel op. Wat hem bovenal beviel was dat iedereen in de neonverlichte wagon zweeg of een boek of krant las. Taal was hier tijdelijk tot zwijgen gebracht. Thomas had wel de hele dag onder de grond willen blijven.

Toen ze weer bovengronds kwamen rees de Eiffeltoren van dichtbij voor hem op. Met de zwarte hoed in zijn hand liep hij naast het zilveren meisje in de richting van de toren met zijn breed uitstaande poten. Thomas wierp zijn hoofd in zijn nek. Wat een gevaarte! Dat mensen zoiets hadden kunnen bouwen!

Aan de rand van een plein bleef Chris staan. Haar ogen zochten een geschikte plek om haar voorstelling te beginnen. Verderop speelde een orkestje; een accordeon, een contrabas en een balalaika. Mannen met dikke snorren en buiken. Chris wilde uit hun buurt blijven en stelde zich op bij een krantenkiosk, net naast een voetgangerspad, waar een lege betonnen sokkel in het gras stond. Ze zette haar tas ernaast. Toen ze eenmaal roerloos en zilverblinkend op de lege sokkel stond leek het alsof zij hier altijd zo had gestaan. Zo nu en dan veranderde ze van houding en dan moest Thomas lachen om voorbijgangers die schrokken van haar plotselinge beweging.

De herfst was al begonnen, maar de zon scheen. Het was aangenaam weer en dat had invloed op de vrijgevigheid van de voorbijgangers. Zoiets moest het zijn. Thomas keek naar de Eiffeltoren, de trage toeristenbussen waar trossen mensen uit kwamen. In de toren ging een lift naar boven.

Om vier uur controleerde Chris de inhoud van de hoed en zei: 'Let's call it a day.' Ze ging languit in een grasperk liggen. Ze moest moe zijn van al die uren roerloos staan. Thomas begreep dat dat een enorme inspanning moest kosten. Hij ging naast haar in de ritselende bladeren liggen en legde de door Chris geleegde hoed over zijn gezicht. Het Frans rondom hem golfde langs hem heen.

Die avond aten ze een hamburger en dronken een grote kartonnen beker cola. Hij wilde weer betalen. Ze protesteerde, maar vond het ten slotte toch goed.

De lucht trok dicht. Chris keek omhoog. 'Hopelijk gaat het niet regenen,' zei ze.

Op de hotelkamer stroopte ze haar zilveren huid en haar slipje af. Het was de eerste keer dat hij een vrouw helemaal bloot zag. Ze was een beetje mager, maar de proporties leken op die van de naakte vrouwen die Thomas uit tijdschriften kende die onder de jongens op school de ronde hadden gedaan. Die vrouwen waren voller van vorm en keken ook anders dan Chris met haar van vermoeidheid licht loensende ogen. Hij draaide zich om naar het raam en keek naar een zwart-wit gevlekte kat die voor een van de ramen aan de overkant zat en met een voorpoot zijn gebogen kop waste.

Toen Chris onder de douche vandaan kwam ging ze op de rand van het bed zitten en gebaarde dat hij naast haar moest komen. Ze zuchtte diep. Haar huid was roze, haar gezicht had weer een normale kleur en ook haar ogen waren kleiner, vriendelijker. De donkere haartjes tussen haar dijen klitten aan elkaar. Ze trok hem naar zich toe. 'Kom,' zei ze en ze legde een hand in zijn kruis.

Hij krabbelde verschrikt bij haar vandaan.

Ze trok haar spichtige schouders op. 'Okay. Well, maybe you're gay. Homosexual I mean. Are you?'

Hij knikte gretig. Als je wilde dat een meisje je zusje bleef kon je dat maar het beste zijn.

Ze keek hem lang en onderzoekend aan. Haar borsten wiebelden licht toen ze in bed stapte, de deken over zich heen trok en haar rug naar hem toekeerde.

Op school hadden de jongens opgewonden over naakte vrouwen verteld die ze op het strand of in tenten hadden bespied. Nu hij er een had gezien kon hij zich niet voorstellen waarom zij daar zo'n ophef over hadden gemaakt. Ze trokken zich af op tijdschriftfoto's van blote vrouwen. Zelf had hij aan zijn hand genoeg, een hand die hij een ander toedichtte en die zich in het toilet van dat benzinestation opeens in levenden lijve had gemanifesteerd.

Thomas werd als eerste wakker. Hij hoorde de regen achter het half openstaande raam ruisen. Aan de deurhaak hing haar zilveren huid, een slap en in elkaar geschrompeld vel.

Hij draaide zich op zijn zij en schudde Chris zachtjes aan een boven de deken uitstekende schouder. Geeuwend kwam ze overeind, wreef haar ogen uit en zag toen de regen buiten.

'Shit,' zei ze, 'shit.'

Hij ging schrijlings op haar zitten en pakte haar bij haar schouders. 'You my sister.'

Ze kwam overeind en drukte een voorzichtige kus op zijn wang. 'That's sweet,' zei ze, 'very sweet.'

Hij keek hoe ze opstond met haar kleine, deinende borsten. Billen had ze nauwelijks. Maar wacht maar als ze eenmaal haar zilveren huid aanhad.

Hij liet zich uit bed glijden. Zijn pik stak recht vooruit, maar dat deed hij iedere ochtend. Niet iets om je zorgen over te maken. Niet persoonsgebonden.

Het lood op de daken was even grijs als de lucht. Hij kleedde zich aan. Even later hoorde hij haar de kamer binnen komen.

'Shit,' zei ze nog een keer, ze liep naar de deur, pakte de zilveren bodystocking van het haakje en propte hem in haar tas. 'Rain,' zei ze en wees op het raam.

Thomas knikte.

'We gaan hier weg.'

'Go?'

'Yes, go. Heb je je paspoort bij je?'

Thomas knikte en wees op zijn groene windjack dat over een stoelleuning hing.

5

Nog altijd fietste Jenny iedere ochtend naar het schooltje van meester Schaafstra. Na schooltijd ging ze door naar D., waar ze 's avonds een cursus pedagogiek volgde. Ze wilde zich specialiseren, iets met kinderen met leerstoornissen. Dyslexie, dat soort dingen. Dan zou ze op den duur hier weg moeten. Niet dat dat haar zou spijten. Vooral nu wind- en regenvlagen haar bijna van de weg drukten. Het was toch wel een bar land. Misschien kon je hier leven als je niet anders wist, niets anders gewend was. Vooral 's winters verlangde ze naar de stad, naar verlichte straten, winkels en cafés. Je moest hier iets van een dier hebben. Dieren leefden alleen in het heden. Het begrip toekomst kenden ze niet, net zomin als de kinderen van meester Schaafstra. Maar daar zou verandering in komen. Ze wist zeker dat het merendeel vroeg of laat vanhier zou wegtrekken.

De derde week van de avondcursus, die in een lokaal van het provinciaal lyceum in de Bakkerstraat gegeven werd, had ze Adze Kooistra ontmoet. Hij was jarenlang onderwijzer geweest, overspannen geraakt en wilde het nu over een andere boeg gooien. Meer individueel gericht onderwijs. 'Een klas kan ik niet aan.' Hij had een open en blozend gezicht, blauwe ogen, zoals de meeste mensen hier, maar hij keek er anders mee, ze waren naar buiten gericht, niet met die geharnaste, achterdochtige blik. Hij was nieuwsgierig naar haar, zei hij die derde week toen ze na de les haar boeken stond in te pakken.

'Naar mij. Hoezo?'

'Wat voor soort iemand je bent, hoe je woont.'

'Ga mee dan,' zei ze. Het was eruit voor ze het wist.

En zo trapten ze naast elkaar in het donker over die kaarsrechte donkere weg langs al die kaal gewaaide bomen naar het dorp. Wat bezielde haar? Je kon niet altijd alleen blijven en hij zag er niet gevaarlijk uit. Integendeel, heel uitnodigend. Hij had een zachte, verlegen stem. Ondanks het kille weer droeg hij een kaki zomerpak.

'Heb je het niet koud,' vroeg ze toen ze voor haar deur afstapten en hun fietsen tegen de gevel zetten.

'Ja,' zei hij, 'maar ik heb geen ander pak. Thuis loop ik altijd in een spijkerbroek en een trui.'

In het halletje trok hij zijn bruine instappers uit. Alsof hij hier al tijden kwam. En zo voelde het voor haar ook, meteen vertrouwd, al kende ze hem nog nauwelijks. Goedkeurend knikkend liep hij op kousenvoeten door de kamer. Voor de piano bleef hij staan.

'Speel je,' vroeg hij.

Even aarzelde ze. Ze vond dat ze niet goed genoeg was om iets voor hem te spelen. 'Nee,' zei ze toen, 'hij staat hier zomaar, een erfstuk.'

'Jammer,' zei hij. 'Ik heb altijd piano willen spelen, maar thuis was er geen belangstelling voor muziek.'

'Vroeger had ik een leerling die pianospeelde,' zei ze. 'Hij kwam hier veel, hij had aanleg. Maar hij is weg.'

'Weg?'

'Van huis weggelopen.'

Ze zaten aan tafel. Ze had de mosterdgele overgordijnen gesloten en vertelde over Thomas, over Jelle en Tsjitske Boender. 'Ik drong niet tot die mensen door en Thomas denk ik ook niet. Het was net of die jongen niet echt bestond voor hen. Nee, ik weet niet wat er van hem geworden is. De politie kon ook niks doen, omdat zijn ouders geen aangifte van vermissing wilden doen.'

'Je moet de mensen hier leren kennen,' zei Adze. 'Bij mij thuis was het niet veel anders. Je moet goed luisteren, goed kijken. Dan ontdek je dat er onder al die stugheid en zwijgzaamheid een grote schat aan woorden schuilgaat. Als je hier maar lang genoeg rondloopt, leer je die onuitgesproken woorden te horen, ze van hun zwijgende gezichten af te lezen. Wat de mensen hier zeggen is maar een topje van de ijsberg.'

'En wat hoor je dan?'

'Dat alles om ze heen verandert zonder dat ze daar iets aan kunnen doen. Een soort stil verzet. De wereld verandert, maar zij willen niet mee. Sommigen trekken de conclusie en vertrekken naar het westen, zij die blijven koesteren hun wrok en proberen vast te houden aan de regelmaat van het vroegere leven, zoals dat hier eeuwen geleefd is. Vroeg opstaan, vroeg naar bed en daartussen hard werken. Met of zonder God. De laatste tijd steeds vaker zonder. Ze weten dat ze gaan verliezen, maar ze bijten nog liever hun tong af dan dat toe te geven.'

Overdreef hij nu niet een beetje?

Dat echtpaar Boender kon gewoon niet uit zijn woorden komen. Daarom was die jongen, die Thomas, pas op zijn vierde gaan praten.

Toen ze hem een keer gevraagd had waarom hij nooit eerder iets gezegd had, had hij geantwoord: er viel niets te zeggen.

Adze was in de lach geschoten en had zijn hand op de hare gelegd. Toen hij opstond was zij ook opgestaan. Hij pakte haar beet. Ze voelde dat ze begon te beven. Hij had zijn handen op haar billen gelegd. 'Wat ben je slank.'

Ze had haar hoofd geschud. 'Nee,' had ze gezegd, 'ik

ben niet slank, ik ben mager. Soms voel ik me net een jongen.'

'Dat heb je dan helemaal mis,' zei hij.

Zo was het gegaan.

6

Chris haalde een doorzichtig plastic pakje uit haar tas te-voorschijn dat uitgevouwen een halflang doorzichtig re-genjasje bleek te zijn. Thomas had alleen zijn mosgroene jack, dat hij nu tot boven aan zijn kin dichtknoopte. 'Go.' Ze gingen ervandoor.

Chris leek opeens haast te hebben. Ze vroeg om zijn portemonnee en betaalde de kalende oude man achter de hotelbalie.

'Waarheen, where,' vroeg hij haar terwijl ze aan de zin-ken toonbank van het café aan de overkant van het straat-je ieder hun croissant aten.

'Home,' zei ze, 'England.' Van de weeromstuit sprak zij ook in losse woorden.

'Far,' zei Thomas en zijn ogen glinsterden. Hij was al-tijd goed in aardrijkskunde geweest. 'Over the sea to Eng-land.'

'Precies,' knikte ze. Ze pakte een paar biljetten uit zijn portemonnee en stak het wisselgeld bij zich. Voordat ze het in haar zak stopte, hield ze de eurobiljetten omhoog en zei: 'Train.'

'Metro?'

'No, train.'

Chris hield een taxi aan. Ze schoven achterin. Hij had zijn portemonnee nog altijd in zijn hand. Van die vijfhon-derd euro was niet veel meer over.

Ze stopten voor het Gare du Nord. Hier vertrokken de treinen, de treinen naar het noorden. Een kopstation. Het was vele malen groter dan het station in Amsterdam waar hij was aangekomen op zijn tocht, zijn tocht, ja waarheen? Naar Engeland dus. Misschien zou hij daar blijven, kon hij Chris helpen en met de hoed rondgaan. Chris stond bij het loket en kocht kaartjes.

De trein naar Lille stond op het vijfde perron. Treingeluiden, roezemoezende stemmen, een schel gefluit en de als altijd onverstaanbare luidsprekerstem vanuit de hoogte van de overkapping. Thomas liep onder een baldakijn van geluiden tot hij achter Chris de trein in stapte en hij tot zijn opluchting niets anders meer hoorde dan een zacht gezoem dat ergens van onder uit de vloer van de wagon kwam. Chris legde haar sporttas in het bagagenet en ging tegenover hem zitten. Ze hield een langwerpig papier in haar hand, een soort folder. Daarin wees zij hem aan hoe zij zouden reizen. Van Parijs naar Lille. Haar wijsvinger schoof naar de tegenoverliggende tabel. Lille-Calais. 'And then...'

'Sea, boat,' zei hij lachend. Hij keek haar triomfantelijk aan. De kaart van Europa kende geen geheimen voor hem. Hij hield van landkaarten in de atlas. Met zijn wijsvinger had hij zo op school lange reizen over de wereld gemaakt. En nu was hij echt op reis, op weg naar Engeland, dat een koningin had en een hoofdstad die Londen heette.

De trein reed door een streek met brede, golvende stoppelakkers en grote boerderijen met ronde toegangspoorten naar de erven, omgeven door een carré van schuren. De trein begon steeds harder te rijden. Met gemak passeerden ze auto's op de snelweg, die een tijd parallel aan de spoorlijn liep. Chris had haar ogen gesloten. Aan haar gefronste voorhoofd kon hij zien dat ze niet sliep maar nadacht. Hij keek naar een verfrommelde krant op de bank tegenover hem vol Franse woorden. Hij zou blij zijn als ze die taal achter zich zouden hebben gelaten en in Engeland waren, waar hij veel woorden kon herkennen en zelfs van een aantal wist wat ze betekenden en hoe je ze moest uitspreken.

De trein naar Calais was oud. De coupéramen zaten vol bruine vegen en strepen, de houten banken deden zeer aan zijn billen. Chris liep door het gangpad heen en weer. Op haar paarse T-shirt zat een donkere vlek, net onder de welving van haar linkerborst. Ze leek onrustig. Als een paard dat de stal ruikt. Hij glimlachte. Dat was een spreekwoord, een van de spreekwoorden die hij van Jenny had geleerd. Het leuke van spreekwoorden was dat ze ook nog waar waren. Hoe vaak had hij niet een paard na een dag op het land in een sukkeldraf over de dijk naar huis zien sjokken.

Schuin tegenover de stationsuitgang was de vertrekhal van de boot naar Dover. Chris moest opnieuw geld van hem hebben. En zijn paspoort. Er restten hem nu nog maar twee biljetten van vijftig euro, maar dat gaf niet, morgen zouden ze op straat nieuw geld verdienen. Thomas was opgewonden. Hij was nog nooit op zee geweest. Hij had de zee wel eens gezien, tijdens een schoolreisje naar Den Helder toen hij in de zesde klas zat, maar dit was anders. De witte romp van de veerboot rees indrukwekkend hoog uit het water omhoog. Door de openstaande laaddeuren reden vrachtwagens en personenauto's in gescheiden stromen naar binnen. Chris en hij liepen een loopplank aan de zijkant van het schip naar het bovendek op. Uit de schuinstaande witte schoorsteen, aan de bovenkant afgebiesd met een blauwe band, kringelden voorzichtig wat rookpluimpjes.

Er waren niet veel mensen in de gelagkamer op het

eerste dek. Het buffet was met een ijzeren rolluik afgesloten dat pas met een ratelend geluid omhoogschoot toen de veerboot zich van de kadewand losmaakte. Chris leende zijn portemonnee en haalde een broodje ham en een cola voor hem.

Lang had hij daar geen plezier van. Een eind voorbij de pier begon het schip te deinen terwijl de horizon achter de ramen de andere kant op kantelde. Die tegengestelde bewegingen kon zijn maag niet verdragen. Als de horizon begon te bewegen was je verloren. Hij sloot zijn ogen, maar dat hielp niet. Hij stond op en ging naar buiten.

Op het dek zag hij dat hij niet de enige was die zeeziek was. Toen hij uitgekotst was ging hij weer naar binnen. Chris leek nergens last van te hebben. Met haar hoofd steunend op haar armen sliep ze aan tafel alsof er niets aan de hand was, alsof hij niet doodziek tegenover haar tegen de houten rugleuning van de bank hing en keer op keer het opwellende maagzuur moest wegslikken. Hij kon nergens aan denken, alleen maar misselijk zijn. Ook als hij zijn ogen sloot bleef alles bewegen, was nergens houvast te vinden. Met zijn handen hield hij zich aan de tafelrand vast. Maar ook die bewoog mee. Hij had het gevoel ieder moment van de wereld te kunnen vallen. Zijn lichaam wilde van hem, van Thomas, af. Hij kon niet slapen, al vielen zijn oogleden bijna dicht. Veel te bang om zijn lichaam te verliezen bleef hij wakker. Om hem heen sliepen mensen in de meest wonderlijke houdingen. Achter het nu weer gesloten rolluik van het buffet hoorde hij glazen rinkelen.

Tegen het ochtendgloren kwam de kust van Dover in zicht. Uit zee oprijzende witte rotswanden, zoiets had hij nog nooit gezien. Zou de rest van Engeland ook zo wit zijn?

46

Thomas durfde niet op te staan. Chris stond al buiten. Door het raam wenkte ze dat hij moest komen, maar hij bleef zitten. Zijn armen en benen trilden, hij had het gevoel alsof hij de hele nacht op het land had gewerkt, al zijn spieren deden pijn.

Voorzichtig liep hij achter Chris de loopplank af in de richting van een met neonbuizen verlichte loods. De glazen deuren schoven voor Chris open. Samen schuifelden ze langs het douaneloket. Chris liet haar paspoort en dat van hem aan een jongeman met sproeten zien. Hij tikte iets in op zijn computer en schoof de paspoorten toen naar haar terug. Chris stak ze in de kontzak van haar spijkerbroek. Ze kwamen langs een toilet. Hij wees op het bordje boven de deur. Chris bleef staan en knikte. Toen hij even later naar buiten kwam was ze verdwenen. Met tas en al. Nergens meer te vinden.

7

Een uur lang dwaalde hij langs loodsen en over kades, langs vrachtwagens die geladen werden en omheinde opslagterreinen vol gestapelde zilverkleurige containers, tot het tot hem doordrong dat ze hem hier op dit industrieterrein aan de haven had achtergelaten. Alleen was hij het grootste deel van zijn leven geweest, maar bewust alleen gelaten was hij nooit. Een vreemd schrijnend besef maakte zich van hem meester. Je had dus mensen die een ander eenvoudigweg uit hun hoofd konden zetten. Alsof je nooit voor hen bestaan had.

Overal in het havengebied lagen plassen. Ook hier moest het flink geregend hebben, maar nu was het droog. Meeuwen wiekten traag boven het golvende water van de binnenhaven. Hij liep langs een muur van rode baksteen waar iemand met witte verf een graffitiboodschap op had gespoten. Onbegrijpelijk, maar met grote woede, dat kon je zien aan de manier waarop de slordige letters erop waren gekalkt. Twee uitroeptekens achter een korte onleesbare zin. Hij sloeg een hoek om en zag een houten keet die midden op een parkeerterrein vol vrachtwagens stond. Boven de deur hing een woord dat hij begreep. CAFÉ.

De deur klemde. Aan formicatafeltjes zaten her en der chauffeurs koffie te drinken. Een paar hadden een stuk vetvrij papier voor zich liggen met een hoopje patat erop. Ook Thomas had honger. Hij liep naar de glazen toonbank waarachter worstjes, hardgekookte eieren in een metalen schaal en in plastic verpakte broodjes ham lagen. De vrouw achter de toonbank was klein en grijs. Ze deed

haar best om een glimlach op haar asgrauwe gezicht te-
voorschijn te roepen. 'Yes dear?'

Hij wees op het stapeltje broodjes.

'Ham sandwich?'

Hij knikte. Ze reikte hem een in plastic verpakte broodje aan. Thomas pakte zijn portemonnee en legde zijn laatste vijftig-eurobiljet op de toonbank. De vrouw schudde
haar hoofd.

'We don't accept euros,' zei ze.

In verwarring keek Thomas om zich heen, naar de
chauffeurs met hun malende kaken. Hij schoof het biljet opnieuw naar haar toe en opnieuw schudde zij haar
hoofd. Een van de chauffeurs stond op om af te rekenen.
Blond stekeltjeshaar en bolle wangen. De vrouw legde
hem uit dat ze geen vreemd geld aannam. De man greep
naar zijn achterzak, haalde er een op de hoeken versleten
portemonnee uit en legde een biljet van twintig pond op
tafel. De vrouw schoof hem het vijftig-eurobiljet toe en
knipoogde terwijl ze wisselgeld voor Thomas neertelde.
'Nice rate,' zei ze tegen de chauffeur, die het eurobiljet
in zijn portemonnee schoof en hem in zijn kontzak te-
rugstak. Tussen zijn tanden wipte een tandenstoker op en
neer toen hij het woord tot Thomas richtte.

'You're from Europe?'

'Yes, from Europe,' zei Thomas.

'Where are you going?'

De man sprak met een vreemd accent maar toch begreep Thomas wat hij zei. 'North,' zei hij.

'Where?'

Thomas haalde zijn schouders op terwijl hij het plastic
van het broodje af peuterde.

'North,' zei hij nog een keer.

'I'm going north. You want a ride?'

Thomas knikte en nam een hap. De ham was zouter

dan thuis. De man gebaarde dat hij mee moest komen. Eenmaal buiten knoopte hij zijn spijkerjasje dicht. Hij wees op een rode vrachtwagen. Thomas klom in de cabine terwijl hij een laatste hap van het broodje nam.

'Where are you from. Which country?'

'Nederland.'

'You don't speak English?'

'Little,' zei hij.

'And you're going north?'

'North, yes.'

'Okay.'

De man startte de auto en reed het terrein voor het café af naar een smalle geasfalteerde weg. Langs de kant stond een bord met A2 erop. Een pijl wees naar links. 'I am going to Sheerness.'

Thomas zweeg. Ook de chauffeur leek de poging een conversatie te voeren nu op te geven. Zijn handen leken klein op het grote stuur. Ze draaiden een vierbaansweg op. Vreemd dat ze hier links reden. De man boog zich licht voorover en zette de radio aan. Het Engels ging Thomas net als eerder het Frans te vlug. Opeens was er muziek, de klank van een piano. Thomas bewoog zijn vingers door de lucht.

'Piano,' zei hij.

'You play the piano?'

Thomas knikte. Hij zou over Jenny willen vertellen, hoe zij hem noten had leren lezen, een wereld van noten voor hem ontsloten had, die zoveel mooier waren dan woorden, die meteen aan de wereld vastplakten. Muziek maakte zich daarvan los, zweefde vrij door de ruimte en verdween weer geruisloos zonder een spoor achter te laten. Maar hij beschikte niet over de juiste woorden. Buiten je eigen taal was je uitgerangeerd.

In een lange stoet vrachtwagens reden ze langs borden waarop de afritten stonden vermeld. Canterbury, Eaversham. Het land aan weerszijden van de snelweg lag er kaal bij. Ook hier was de oogst binnengehaald en opgeslagen in de her en der verspreid liggende schuren. Tussen lage stenen muurtjes liepen groepjes schapen rond. Zwarte schapen. Hij wist hoe dat in het Engels heette, maar hij besloot deze keer zijn mond te houden. De vorige keer hadden die twee Amerikaanse jongens moeten lachen toen hij dat zei, black sheep.

Na Sittingbourne gingen ze de A2 af richting Sheerness. Thomas wist niet hoe de chauffeur heette. Ook naar zijn naam had de man niet gevraagd. Zo nu en dan humde hij met de muziek mee. Thomas voelde zich met de zwijgende man op zijn gemak. Zo was hij het gewend.

Het havengebied van Sheerness leek op dat van Dover, alleen wat kleiner. Langs de monding van wat een grote in zee uitstromende rivier leek lagen hetzelfde soort loodsen, stonden identieke zilverkleurige containers opgestapeld achter hoge hekken. In een dok waren arbeiders op een hangbrug met vonkende snijbranders halverwege de romp van een vrachtschip aan het werk. Op een vierkant gebouw met kleine getraliede ramen wapperde de Engelse vlag.

De vrachtwagen reed een parkeerterrein op. De chauffeur boog zich voor hem langs en maakte het portier open. Met zijn andere hand wees hij op een vierkant gebouwtje, een soort uitbouw van een oude fabriek met rijen geblindeerde ramen.

'There's a toilet over there. In case you need one.'

Thomas gaf de man een hand.

'You nice,' zei hij.

De man knikte kort. Thomas sprong uit de wagen. Het regende licht. Hij liep naar het gebouwtje dat de chauffeur hem had aangewezen. Hij hoorde de vrachtwagen optrekken.

De deur ging moeilijk open. Een betegelde vierkante ruimte met een wasbak waarboven een spiegel in de muur zat geschroefd. Hij draaide de enige kraan open, waar pas na een paar seconden een dun straaltje water uit kwam. Hij waste zijn handen en gezicht en toen pas zag hij hoe hij veranderd was. Een echte baard zou hij wel nooit krijgen, maar toch groeide er rond de onderkant van zijn gezicht nu een dun laagje vlassig blond haar.

Naast de wasbak zaten twee deuren. Hij trok er een open en stond voor een pisbak. Rond het afvoergat zaten roestplekken. Terwijl hij plaste dacht hij aan Jim. Was dat echt gebeurd? En Chris met haar magere lijf, zilveren Chris, had die wel ooit bestaan? Hij had het gevoel dat hij hier vanuit het niets was beland, als een parachutist gedropt in vijandelijk gebied. North wilde hij en nu hij er eenmaal was wist hij niet meer hoe het verder moest.

Hij volgde de borden met CITY CENTRE. Lage huizen met brede trappen ervoor en verpieterde tuintjes waarin hier en daar een paar herfstasters op hun stelen stonden te wiegelen. Achter de opgebonden plooigordijnen zag hij niemand. Een kleine, bruine hond liep even met hem op en verdween toen in een smalle sleuf tussen twee huizen.

Hij kwam in een winkelstraat. Voor een supermarkt stond een rij in elkaar geschoven winkelwagentjes. Hij had nergens iets te zoeken en daarom liep hij door, de licht hellende straat af. Plotseling zag hij de zee voor zich liggen, glinsterend en kalmer dan gisteren. De huizen maakten nu plaats voor villa's, de meeste met de luiken gesloten. Hij voelde de zeewind door zijn groene jack dringen. Chris had hem zowat al zijn geld afhandig gemaakt. Ze had gebruik van hem gemaakt en toen ze hem kaalgeplukt had, had ze hem als een lege verpakking weggegooid. Zo konden mensen dus zijn.

De straat kwam uit op een betegelde boulevard met ouderwetse gietijzeren lantaarns. Hier en daar stonden bankjes. In de duinen achter hem lagen zomerhuizen met lange, naar zee afdalende houten trappen. En daar voor hem golfde het water van de zee, waarboven een kleine stern scheerde en zich zo nu en dan in duikvlucht met dichtgevouwen vleugels halsoverkop in het water stortte.

Hij liep langs de boulevard tot hij bij een kleine baai kwam. Daar lagen bootjes voor anker te dobberen. Hij ging op een bankje zitten en keek naar de statig het land in drijvende wolken, en toen naar de zee; allebei waren ze even grijs. Hij strekte zich op de bank uit, stopte zijn gekruiste handen in de mouwen van zijn jack en sloot zijn ogen.

Hij werd wakker van de kou. Toen hij overeind kwam zag hij dat de zee verdwenen was, de lichtblauw, grasgroen en vuurrood geschilderde vissersbootjes lagen scheef gezakt kriskras verspreid in glinsterende modder. Het water had zich tot heel in de verte teruggetrokken. Hoe kon dat? Hij keek naar de bootjes op het droge. Hij zou ernaartoe kunnen lopen. Kijken of er een was waarop hij zou kunnen overnachten. Hij stond op en keek om zich heen. Nergens was iemand te bekennen. Langzaam liep hij naar een stenen trap die van de boulevard naar het strand voerde. Hij trok zijn kousen en schoenen uit en waadde toen door de zachte modder, waarin krabbetjes rondscharrelden en zwarte mossels omhoogstaken, in de richting van de kleurige bootjes. Van de eerste twee waar hij aan boord klom was de kajuit afgesloten, maar bij de derde, een lichtgroen scheepje met de naam Mary in witte letters op de romp, had hij succes.

Bukkend ging hij naar binnen. In de kleine ruimte stonden een tafel en een stoel. Een lege rode asbak met een doosje lucifers erin. Tegen de achterwand een gastoestel op een houten plank waaronder een butagasfles, ernaast een kleine ijskast. In het kastje boven het gasstel vond hij een halfvol pak macaroni, in het ijskastje twee flessen water. In ieder geval kon hij zijn honger en dorst stillen. De bank met gele kussens langs de zijwand van de kajuit was net lang genoeg om erop te kunnen liggen. Hij was op zee maar tegelijk op land. Hij leegde het pak macaroni in een steelpan, goot er water uit een van de flessen op en stak een brander van het gasstel aan. Het gas suisde en brandde met vertrouwde blauwe vlammetjes. Na vijf minuten begon het water te borrelen. Zingen noemde je dat. Luister, het water zingt, hoorde hij zijn moeder zeggen. Maar water zong niet. De belletjes, die overal aan de oppervlakte opensprongen, schreeuwden omdat ze het steeds heter kregen, het gas hen steeds meer pijn deed. Met zijn handen voor zijn oren geslagen wachtte hij op het moment dat de macaroni gaar zou zijn. In het kastje boven het gasstel zocht hij naar zout. Geen zout. Dan maar zonder. Hij zette de steelpan op tafel, vond een lepel en begon omzichtig blazend te eten.

Halverwege de nacht werd hij wakker van een licht geschommel. Hij hoorde het geklots van water. De zee was teruggekomen. Hoe moest hij nu terug naar land? Op het moment kon hij niets anders dan op zijn rug liggen luisteren naar het trage geknabbel van de golven aan de scheepswand.

Toen het licht werd, klom hij naar buiten. Om hem heen dobberde een vloot van gekleurde bootjes. De wind gaf een concert met de tegen de stalen masten kletsende zeiltouwen. De huizen in de heuvels boven de baai zagen er met hun gesloten luiken als expressieloze gezichten uit. Hij moest zich laten redden, maar door wie? Hij ging weer naar binnen en schraapte het restje van de koude meelderige macaroni uit het pannetje. Hij steunde zijn hoofd in zijn handen en at met lange tanden. Hij kon niet meer nadenken, wilde niet praten, zelfs niet in zichzelf. Eerst moest hij zijn gedachten stoppen. Alleen zo zou hij misschien aan deze situatie kunnen ontkomen. Hij merkte hoe onmogelijk het was om aan helemaal niets te denken. Hij moest aan de Amerikaanse jongen denken, aan Jim. Zou hij nog altijd in Parijs zijn? En stond Chris nu in haar zilveren kostuum ergens op een plein in Londen? Je kwam mensen tegen en je verloor ze weer uit het oog. Dat kwam omdat iedereen en alles in beweging was. Het zou beter zijn altijd stil te staan, niet van je plek te komen. Reizen was eigenlijk te gevaarlijk voor hem. Hij ging weer op de smalle bank liggen en viel opnieuw in slaap.

Toen hij wakker werd, hoorde hij buiten een slurpend geluid. Aan dek zag hij hoe het water de baai weer aan het uit stromen was, eruit werd weggezogen door een onzichtbare kracht. Hier en daar spartelde de zilveren staart van een visje. Hij kon van boord. Met zijn schoenen in zijn ene hand, zijn broekspijpen opgerold, klom hij van de boot af en liet zich in de ijskoude modder zakken. Om hem heen rook het doordringend naar vis. Met hoog opgetrokken benen ging hij op weg naar het land, naar de boulevard waar een man in een beige regenjas een bruine hond aan de lijn hield en strak naar hem keek, toen een mobiele telefoon uit zijn binnenzak haalde en een nummer intoetste.

Ergens onder het ondiepe water moest zich een kuil hebben verscholen want plotseling verdween Thomas. Alleen zijn ene hand met de schoenen stak nog boven water uit. Toen hij weer bovenkwam en drijfnat de kuil uit krabbelde was de man met de hond verdwenen. In zijn plaats stond daar nu een politieagent met pet, zijn handen bedaard op zijn rug, te kijken hoe Thomas langzaam en wijdbeens wadend dichterbij kwam en toen het strand op struikelde. Hij stonk naar vis en zeewier.

Zwijgen, dacht Thomas, zwijgen is het beste. Hij liep de trap op naar de boulevard. Als ik zeg wie ik ben word ik linea recta naar huis gestuurd. En naar de terp wilde hij niet terug, daar had hij niets meer te zoeken. Daar stond Jelle klaar om hem in één klap dood te slaan.

De agent, in een halflange donkerblauwe uniform- jas die met een glanzende koppelriem over de bijpassen- de broek viel, hief zijn hand op, alsof Thomas van plan was ervandoor te gaan. Thomas ging op een van de ban- ken langs de boulevard zitten en wurmde zijn kletsnat- te schoenen aan zijn voeten. De sokken gooide hij weg. Toen stond hij op. Bij iedere pas klonk een soppend ge- luid. Vlak voor de agent hield hij halt. De agent had een pokdalig gezicht en kleine ogen omkranst door blon- de wimpers en oogleden. Op de schouders van zijn uni- formjas, afgebiesd met zilveren epauletten, zaten spikkels roos.

De agent vroeg hem naar zijn naam en toen naar de re- den dat hij de nacht op een van de bootjes in de baai had doorgebracht. Zoiets begreep Thomas tenminste, die al- leen maar zijn schouders ophaalde, zijn hoofd schudde en toen op zijn gesloten lippen wees. De agent knikte, wreef even met de wijsvinger van zijn rechterhand over zijn bo- venlip en maakte toen het gebaar dat Thomas met hem mee moest komen.

Aan het eind van de boulevard bleef de agent voor een stoplicht staan tot het op groen sprong. Nergens reden hier auto's, dit deel van Sheerness leek al in winterslaap verzonken. Hij liep vlak achter de agent, die zo nu en dan even over zijn schouder keek of Thomas hem nog wel volgde. Een man met een getinte huid was bezig voor zijn winkel fruit en groente in kistjes op een schuin opstaand ijzeren rek te installeren. Hij keek de agent en de kletsnatte jongen na, die een druppelspoor op het trottoir achterliet. De agent sloeg een zijstraat in en wees toen op een openstaande deur met daarboven een verlichte neon-bak met het woord POLICE.

In het wachtlokaal heerste diepe rust. Alleen het omslaan van een krant door de dienstdoende agent achter de balie maakte geluid. Aan de muren hingen ingelijste verordeningen en een prikbord met daarop afbeeldingen van gezochte misdadigers. De jonge agent achter de balie had een gladgeschoren huid en zachte ogen. Thomas vond hem mooi. Hij rilde en maakte een drinkgebaar naar de jonge agent, die enthousiast knikte, opstond en in een belendend vertrek verdween waaruit hij even later met een beker koffie tevoorschijn kwam. Thomas nam de beker tussen zijn handen en dronk de lauwe mierzoete koffie achter elkaar op. De agent met de bleke wimpers legde zijn pet op de balie en wees op Thomas. Hij begon een verhaal dat Thomas niet kon volgen. De jonge agent knikte af en toe en keek onderwijl naar Thomas. Hij stond op en leunde met zijn handen op de balie.

'Je kunt dus niet praten,' zei hij.

Thomas zweeg en keek langs hem heen.

'Misschien is het een asielzoeker,' zei de oude.

'Hij heeft anders geen kleurtje,' zei de jonge.

'Misschien komt hij uit Oost-Europa,' zei de oude.

'Moeten we er een tolk bij halen,' vroeg de jonge gretig.

De oude agent schudde zijn hoofd. 'Volgens mij is hij niet helemaal lekker. Ik denk dat ik de dokter van dienst maar eens bel.' Hij liep om de balie heen naar de telefoon.

De arts die een halfuur later het politiebureau binnen kwam leek zelf ziek, zo bleek en mager zag hij. Zijn bril schoof naar het puntje van zijn neus terwijl hij met de agenten praatte; Thomas kon er zijn ogen niet van afhouden, wachtte op het telkens terugkerende moment waarop de man met een geïrriteerd gebaar de bril met een magere vinger op de brug van zijn neus terugduwde zonder zich kennelijk van die gewoonte bewust te zijn.

De dokter stelde dezelfde vragen als de agent en ook deze keer zweeg Thomas. 'Ik neem hem wel mee,' zei de man ten slotte. 'Misschien dat hij in een andere omgeving wel wil praten.' Hij gebaarde dat Thomas met hem mee moest komen.

Buiten maakte een laaghangende mist het onmogelijk te zien waar ze heen reden. De dokter glimlachte naar hem. Hij had groene ogen en een scherpe neus. Hij maakte geen aanstalten een gesprek te beginnen. Dat vond Thomas een goed teken. Hij wilde met rust gelaten worden.

Ze reden een heuvel op en lieten de mist achter zich. Weilanden van elkaar gescheiden door lage muurtjes van gestapelde keien. En daar, achter een haag van kale iepen, een groot wit gebouw met aan weerskanten lage houten paviljoens. Achter de ramen zag hij mensen zitten. Voor het hoofdgebouw stopte de arts. Een verpleegster met een lichtblauw kapje op haar bruine krullen kwam het trapje voor de toegangsdeur af en liep naar de auto. Thomas stapte uit en keek naar zijn broekspijpen die aan zijn schenen kleefden. De dokter praatte even met de verpleegster, die Thomas bij zijn arm pakte en hem mee naar binnen nam. De dokter stapte weer in zijn auto en reed achteruit het oprijlaantje af.

Voorzichtig hield de verpleegster hem bij zijn arm, alsof hij een patiënt was, een zieke. En misschien was dat ook zo, dacht Thomas. Iemand die totaal de weg kwijt is, die niet meer weet wat 'north' betekent, waar dat ligt, of dat ooit te bereiken valt; ja, misschien is die wel ziek.

8

Na twee dagen wist nog steeds niemand in de kliniek wie die zwijgende jongen was met dat vriendelijke, spichtige gezicht, dat vlasbaardje en die wat angstige blik. Misschien kon hij niet praten, al dacht dokter McLaren dat het er meer van weg had dat de jongen in een shocktoestand verkeerde, een black-out had. Hij was volgens de politie uit zee komen aanzetten en niemand wist wat er daarvoor met hem gebeurd was. In zijn kleren hadden ze geen merkjes gevonden en een portemonnee met een biljet van tien pond plus wat kleingeld. Dat zei dus niets.

Thomas had hetzelfde grijze pyjamapak aangemeten gekregen als de andere patiënten die hier ronddoolden of met hun vingers zaten te spelen. Sommige waren al heel oud en zaten knikkebollend in een rolstoel aan tafel.

Een verpleger had een foto van hem genomen. Ze namen hem mee naar een gymnastiekzaal, waar ze hem een bal toegooiden, die hij plichtmatig opving. Aan zijn reflexen mankeerde niets. Toen zag hij in een hoek van het naar opgedroogd zweet ruikende lokaal, naast de wandrekken, een piano staan. Thomas liep ernaartoe, ging op de keukenstoel voor het instrument zitten en begon te spelen. Alle melodieën die hij van juffrouw Jenny had geleerd. *Het Zwanenmeer*, de fuga van Bach, 'Greensleeves'. De sportleraar kwam naast hem staan en haalde zijn mobiele telefoon uit zijn zak.

Even later was Thomas omringd door verpleegsters die zich vergaapten aan die wonderlijke jongen die niet kon of wilde spreken, maar wel pianospelen. Nog een keer speelde hij alle melodietjes die hij van Jenny had geleerd. De verpleegsters applaudisseerden toen hij ophield.

Een dag later, toen hij weer tegenover de magere dokter in diens kamer zat, schoof de man hem een stuk papier en een potlood toe. Iemand die niet sprak of kon spreken hoefde daarom nog niet per se analfabeet te zijn.

'Write down your name, please.'

Thomas pakte het potlood en tekende een piano. De dokter knikte. Dit was iemand die zich kennelijk alleen in muziek kon uitdrukken. Dat probeerde hij natuurlijk met die tekening duidelijk te maken. Een shocktoestand. Deze patiënt leek hem in wezen niet geesteszick en dus kon hij hier op den duur niet blijven. Hij besloot de National Missing Persons Helpline in te schakelen. Misschien dat iemand hem zou herkennen als ze zijn geval op hun website zetten.

De volgende dag stond er een kort bericht met een foto op de site van de Helpline. Omdat niemand wist hoe de jongen heette en ze ook geen enkele aanwijzing hadden gevonden waar hij vandaan kwam, noemden ze hem in het bericht 'de pianoman'.

* * *

Het Sheppey Isle Medical Centre werd in het stadje 'the madhouse' genoemd, maar behalve een psychiatrische afdeling had het ook een afdeling geriatrie en een eerstehulppost met zes bedden voor noodgevallen. Het laatst waren die bedden drie jaar geleden gebruikt toen een Pools vrachtschip op de schelpenbanken voor Sheerness was vastgelopen. Sheppey was een eiland, maar zo groot dat niemand zich een eilandbewoner voelde. Overal om je heen waren akkers, weilanden en vooral veel schapen. 'Isle of Sheep' werd het daarom ook wel genoemd.

Behalve de magere Ierse dokter Paddy McLaren werkte er een psychiater, Wesley Bromwich, en de kalende geriater Patrick Cook. Ze begonnen iedere week met een werkoverleg. Naast personeelsproblemen – het Sheppey Isle Medical Centre kampte net als de andere ziekenhuizen in de regio met een gebrek aan verplegend personeel – bespraken ze daar de staten van hun patiënten. En zo kwam de pianoman iedere maandagmorgen ter sprake.

McLaren had wat medische tests en onderzoekjes gedaan. De jongen leek hem volkomen gezond. Het enige was dat hij niet praatte. Doofstom was hij niet. Dan zou hij zijn handen wel gebruiken. Zijn strottenhoofd was normaal gevormd en dus hield McLaren het erop dat de jongen wel kon praten, maar het op de een of andere manier verdomde of tijdelijk niet meer kon. Dat zag je wel meer, mensen die iets zo schokkends hadden meegemaakt dat ze met stomheid geslagen waren.

Bromwich vermoedde dat de jongen een traumatische gebeurtenis moest hebben meegemaakt voordat hij bij Sheerness aan wal was gekomen. Hoe hij trouwens Engeland was binnen gekomen wist niemand, ook de politie niet. Wellicht zou hij weer gaan praten als hij tot rust was gekomen.

'Misschien verstaat hij ons niet,' zei McLaren. 'Wie weet waar hij vandaan komt. Niet iedereen leert Engels op school.' Dat was typisch McLaren. Iers was volgens hem ook een totaal andere taal dan Engels.

Patrick Cook schudde zijn hoofd. 'Ik heb hem in een krant zien lezen,' zei hij. 'Aan de oogbewegingen kun je zien of iemand een voor hem of haar begrijpelijke zin leest of dat het alleen maar een zinloos beeld van zwarte tekentjes is. Bij alzheimerpatiënten kun je dat verschil duidelijk waarnemen. Dan dwalen de ogen ongericht over de hele bladzijde.'

Maar het ging hier om een jongeman, niet om een demente bejaarde. Een jongen die zich alleen maar uitdrukte door piano te spelen. Zo hadden de drie het ook op de website van de Helpline laten zetten met de foto die een van de verplegers kort na zijn opname van de jongen had gemaakt. Een magere jongen met een vlasbaardje en een wat schichtige blik.

Die foto en de beschrijving hadden een stroom van reacties losgemaakt, niet alleen op de website van de Helpline, maar daarna ook in de pers. Sommige journalisten suggereerden dat de pianoman niets anders was dan de publiciteitsstunt van de een of andere Hollywood-producer om het publiek alvast warm te maken voor een komende filmproductie, maar de meeste namen het geval serieus en schreven dat het hier om een 'briljante musicus' ging die om de een of andere reden zijn geheugen was kwijtgeraakt. Zij riepen het publiek op contact met de Helpline op te nemen als iemand de pianoman herkende. Het bericht ging de hele wereld over, net als de foto en de tekening. 'Er hoeft tegenwoordig maar iets te gebeuren of iedereen bemoeit zich ermee,' bromde Cook, die voorstelde in ieder geval geen pers tot de inrichting toe te laten. Briljante musicus. Hoe kwamen ze erbij.

De jongen zat hier nu vier weken en de stapel e-mails en krantenberichten was tot een dik dossier aangegroeid. Ook binnen de inrichting nam de aandacht van het personeel voor die geheimzinnige jongen toe, die het grootste deel van de dag voor een van de ramen naar buiten zat te kijken en opleefde als hij een meeuw of andere vogel voorbij zag vliegen. Soms nam een verpleegster hem mee uit wandelen in het park rond de inrichting. Maar ook dan deed hij er het zwijgen toe. Nee, dat was niet juist uitgedrukt. Zwijgen leek voor hem de natuurlijke toe-stand te zijn.

* * *

Een mens kan zonder woorden, maar niet zonder ge-dachten. Het zwijgen kostte Thomas geen enkele moei-te, maar niet meer denken, hoe deed je dat? Die man met dat rossige haar, Brom en nog wat, probeerde kinderach-tige spelletjes op hem uit; puzzels leggen, blokjes van ver-schillende kleur en afmeting die op een bepaalde manier in elkaar moesten worden gepast. Terwijl die man tegen hem aanpraatte, keek Thomas naar de kop van de meer-schuimen pijp die uit de borstzak van zijn bruine kamga-ren jasje stak. Ze wilden erachter komen of hij begreep wat ze tegen hem zeiden. Zo probeerden ze hem open te breken. Ze bleven maar tegen hem praten in de hoop dat hij op een gegeven ogenblik zou reageren op iets wat ze tegen hem zeiden of hem lieten zien.

9

Twee weken later leken ze hun pogingen te hebben op-
gegeven. Ze lieten hem tenminste verder met rust. Hij
had nu alleen nog maar te maken met de verplegers en
verpleegsters in hun mosgroene jurken en jasjes, die hem
mee uit wandelen namen of hem van de gymnastiekzaal
naar de conversatiekamer brachten. Een soort studiezaal
voor zwijgers leek het daar. Een enkeling kreunde wel
eens of gaf een plotselinge kreet, maar meestal was het
stil. Soms zette een verpleegster een plaat op. Hij herkende *Het Zwanenmeer* van Tsjaikovski. Alsof ze dachten hem
met muziek een reactie te kunnen ontlokken.

Hij zag de lege blikken van de andere patiënten die hem
verder gevorderd leken dan hij. Misschien was het hun
al gelukt het domein van het gedachteloze te betreden.
Thomas bestudeerde hun gedrag, dat meestal bestond
uit het eindeloos herhalen van hetzelfde gebaar: met een
knokkel kloppen tegen een tafelrand, het dicht- en weer
openvouwen van de vingers rond een leeg garenklosje,
het plukken aan een blouse of rok of het urenlang vegen
over een opengeslagen krant, alsof ze de letters van het
papier wilden schuieren.

Voor de dokters hier had hij geen naam, geen verleden,
geen taal. Eigenlijk was hij niemand of op weg om niemand te worden. Wellicht gunden ze hem dat niet. Gelukkig had hij van meet af aan in de gaten wat ze met hem
wilden.

Ze lieten hem allerlei papieren zien. Een Poolse mime-
speler was naar de politie in Rome gegaan en had verteld

dat hij Thomas uit Nice kende, waar hij als de Franse musicus Steve Massone werkte. Een bericht uit Praag duidde hem aan als Tomas Strnad. Strnad was een klassiek getrainde pianist met een voorkeur voor Chopin, Mozart en Liszt. Iemand uit Italië dacht dat hij Martin Sturefolt was, een Zweedse pianist die onlangs in Londen had gestudeerd. Al deze musici waren verdwenen, sommige al voor langere tijd. Hij haalde iedere keer zijn schouders op en glimlachte schaapachtig.

Ook de daaropvolgende dagen bleven ze hem lastigvallen, onderstreepten namen, omcirkelden plaatsnamen waarvan hij er een paar herkende. Het was Thomas maar al te duidelijk waar Bromwich en zijn collega's op aanstuurden. Als hij niemand wilde zijn zouden zij er wel voor zorgen, desnoods met geweld, om hem iemand te laten worden. Hij vroeg zich af hoe het kon dat mensen over de hele wereld in hem iemand meenden te herkennen die vermist werd.

Gelukkig hield Bromwich na enkele weken op met zijn spelletjes. Ook lieten ze hem nu geen nieuwe papieren meer zien. Hij dacht aan niemand meer, luisterde naar de geluiden om hem heen, die mooier waren dan welke muziek ook. Het kalme gebruis van uitruisende golven, de wind in de kale heggen, het gegak van hoog overvliegende troepen ganzen.

* * *

'Waren we hier maar nooit aan begonnen,' zei McLaren. 'De mensen van die Helpline worden er ook stapelgek van. Iedere keer moeten ze die berichten natrekken en iedere keer weer blijkt het om een vergissing te gaan.'

'Het geval spreekt kennelijk tot de verbeelding,' zei Bromwich.

'Maar ondertussen zitten we met hem,' zei geriater Cook. 'Hij kost ons geld, houdt een bed bezet. Hoe raken we hem kwijt? Kunnen we hem niet gewoon terugbrengen naar de politie?'

'Die ziet ons aankomen,' zei McLaren. 'Die zijn zelf veel te blij dat ze van hem af zijn.'

Cook zuchtte. 'Wat doen we eraan? Laten we het hogerop zoeken, de gouverneur aanschrijven.'

'Dat zou tenminste iets zijn,' vond McLaren.

Bromwich zag er weinig in maar beloofde dat hij de brief zou schrijven want die pianoman was tenslotte zijn patiënt. Ergens geloofde hij dat de jongen op een dag weer zou gaan praten. Dat schreef hij natuurlijk niet in zijn brief aan de gouverneur.

Zoals hij al had verwacht kwam er geen antwoord. Ook de belangstelling van de journalisten verdween en ten slotte belde of mailde niemand meer naar de National Missing Persons Helpline met de mededeling dat hij de pianoman had herkend. De dokters kregen steeds meer het onaangename gevoel slachtoffer van een publiciteitsstunt te zijn geworden. De media, zeiden ze tegen elkaar, die verdomde media ook. Briljante pianist en meer van die onzin.

10

Bovenmeester Schaafstra had grote, uitstaande oren, zeiloren. Als hij tegen de avond in zijn stoel voor het raam de *Noorder Koerier* zat te lezen, zag zijn vrouw Agaat hoe het lage zonlicht door zijn oren scheen en die rozerood kleurde, de kleur van varkensoren. Nu de zon verdwenen was en het buiten al schemerde toen Willem de krant opensloeg hadden zijn oren weer de normale mensenkleur. Willem Schaafstra was een oplettende lezer. Iedere dag nam hij de krant op dezelfde manier door. Eerst het weerbericht, dan de waterstanden. Daarna las hij het lokale nieuws en als laatste het nieuws over de wereld buiten de regio. Het enige wat hij oversloeg waren de beursberichten.

'Moet je kijken,' zei hij tegen zijn vrouw die in een hoek van de kamer te strijken stond.

'Ik sta te strijken,' zei de vrouw.

'Kom nou even.'

Zij zette de bout op zijn kant en kwam achter hem staan.

Zijn vinger wees op een foto. 'Weet je wie dat is?'

'Moet ik hem kennen dan?'

'Kijk nog eens goed. Thomas. Dat is Thomas, die jongen van Boender.'

'Jij kent hem beter dan ik.'

'Hij heeft bij mij in de klas gezeten.'

Willem Schaafstra las het krantenbericht hardop aan zijn vrouw voor.

'Hoe komt die jongen helemaal in Engeland,' vroeg ze.

'Hij is een tijd geleden van huis weggelopen. Weet je dat niet meer?'

'Je moet ze gaan waarschuwen,' zei ze, 'de Boenders bedoel ik.'

'Tsjitske zal je bedoelen.'

Zijn vrouw kreeg een kleur.

'Dat was ik helemaal vergeten. Wat zal die jongen schrikken als hij thuiskomt.'

'Dat weet ik nog zo net niet,' zei de hoofdonderwijzer. 'Van Jenny Vreeland heb ik indertijd begrepen dat hij niet zo goed met zijn vader overweg kon.'

'Je moet zijn moeder gaan waarschuwen,' zei ze nog een keer. 'Die arme vrouw.'

'Ik zou eerst dit telefoonnummer in Engeland moeten bellen.'

'Waarom?'

'Je weet het nooit helemaal zeker. Een foto is tenslotte maar een foto. Ik denk dat ik eerst maar eens bij Jenny langs ga.'

Willem Schaafstra stond op, vouwde de krant op en trok zijn jas aan. Misschien kon Jenny dat nummer bellen. Haar Engels was beter dan het zijne.

Een gure oostenwind. Daar had hij vroeger wel eens een grapje over gemaakt tegen de communistische wethouder Priem. Maar de communisten waren allang uit de gemeenteraad verdwenen.

Bij Jenny brandde licht achter de gele overgordijnen. Hij hoopte dat ze zonder die vriend van haar was, die Adze. Die had te veel babbels en allerlei eigenaardige ideeen over het onderwijs. Zelf had hij zich laten wegpesten. Ja, achter je bureau zitten filosoferen over onderwijsvernieuwingen, dat was een klein kunstje, maar hij wist hoe het werkelijk zat. Je moest eerst respect afdwingen. Dan kwam de rest vanzelf. Al die verhalen over individuele ontplooiing en de kinderziel. Kinderen hadden leiding nodig, een strenge hand. Daar waren ze je later dankbaar voor. Hoe vaak had hij dat niet gehoord: 'Meester Schaafstra, als u mij toen niet gedwongen had.' Maar tegenwoordig stond het kind voorop. Alsof een kind meer was dan een voorportaal naar de volwassenheid. Op de manier van Adze kweekte je alleen maar slappelingen, mensen zonder ruggengraat en weerbaarheid.

Die Thomas Boender was altijd al een buitenbeentje geweest. Niet helemaal in orde. Het verbaasde hem niet dat hij daar in Engeland in een inrichting was beland en zijn mond niet opendeed. Niemand hier was erg spraakzaam, maar de Boenders spanden de kroon. Daardoor had dat joch nooit goed leren praten, al moest hij toegeven dat Jenny's bijlessen wel wat geholpen hadden. Hij had tenslotte werk gevonden in de fietsbandenfabriek en dat was al heel wat.

Jenny was alleen thuis. Hij zag dat ze aan tafel schriften had zitten corrigeren. Hij keek naar de lamp boven tafel.

'Je moet er een sterkere lamp in draaien,' zei hij. 'Zo bederf je je ogen nog eens.'

Jenny glimlachte. 'Misschien heb je gelijk. Maar ik neem niet aan dat je gekomen bent om mij dat te vertellen.'

Willem Schaafstra trok de krant uit de binnenzak van zijn jas en spreidde hem voor haar op tafel uit. Hij keek haar onderzoekend aan en zag hoe ze verbleekte.

'Thomas.'

'Dat dacht ik ook. Ik wilde er alleen maar zeker van zijn dat ik het me niet verbeeldde.'

'Hij heeft een baardje, maar voor de rest. Nee, het is hem, absoluut.'

'Moeten we zijn moeder niet waarschuwen?'

Jenny schoof de krant opzij. 'Hoe is het mogelijk,' zei ze. 'Helemaal in Engeland. In een inrichting.' Ze zweeg even. 'Wil je koffie?'

Hij knikte. Dat was een goede gewoonte hier. Als er problemen rezen ging je eerst koffiedrinken. Een rustpauze waarin je even kon nadenken voor je iets ondoordachts zou zeggen of doen.

Terwijl Jenny in de keuken was keek Willem Schaafstra de kamer rond. Over een van de stoelleuningen hing een donkerblauwe stropdas. De klep van de bruine piano was open. Op de muziekstandaard stond een opengeslagen album. Hij kwam overeind om de titel van het stuk te lezen. 'Greensleeves'. Hij kon geen noten lezen, maar hij wist hoe de melodie ging. In dat krantenbericht was er ook sprake van dat liedje. Zou Jenny hem pianospelen hebben geleerd of was dat toeval?

Met een kop koffie voor zich herhaalde hij zijn vraag. Of ze haar niet moesten waarschuwen, de moeder.

'Ik weet het niet,' zei ze. 'Tsjitske is nog helemaal in de war van dat ongeluk. Misschien is het beter als wij eerst zelf contact met Thomas proberen op te nemen.'

Willem Schaafstra knikte. 'Er staat een telefoonnummer bij,' zei hij.

Ze liep naar het toestel, dat in de vensterbank stond. Terwijl zij belde speelde de melodie van 'Greensleeves' door zijn hoofd. Waar had hij die voor het eerst gehoord? Op dansles misschien, lang geleden in ieder geval.

Hij probeerde het telefoongesprek te volgen. Ze zei dat ze het absoluut zeker wist, dat ze Thomas drie jaar in de klas had gehad. Dat ze bij de bovenmeester (de 'head-teacher') zat die hem ook drie jaar les had gegeven. Ze waren er allebei zeker van. Rotsvast. Iemand aan de andere kant vroeg iets. Jenny zei dat ze dat eerst moest vragen en of ze terug kon bellen. Ze kwam weer tegenover hem zitten.

'Raar,' zei ze. 'Die vrouw reageerde alsof ik haar voor zat te liegen. Ze klonk bijna afwerend. Maar halverwege draaide ze bij. Ze vroeg of ik naar Engeland kon komen om hem te identificeren. Zo zei ze het, identificeren. Alsof hij dood was.'

'Zoals zijn vader,' zei Willem Schaafstra.

'Houd daar alsjeblieft over op,' zei Jenny. 'Als ik daar nog aan denk. Wat vind jij, Willem. Zal ik gaan? Stel dat het hem toch niet is.'

Willem Schaafstra stond op. Hij steunde met gespreide vingers op het tafelblad. 'Van mij heb je toestemming.'

Het klonk bijna plechtig, zo plechtig dat erna een diepe stilte viel. De bovenmeester wees op de piano.

'Heb jij hem geleerd om "Greensleeves" te spelen?'

Ze knikte. 'Lang geleden. Maar zoals het hier staat is het overdreven. Hij kon maar een paar liedjes, dat was alles. Hij was zeker geen meesterpianist, zoals in de krant beweerd wordt.'

'Dan moet het hem zijn,' zei Schaafstra en hij knoopte zijn jas dicht. 'Ik neem jouw klassen wel zolang over.'

* * *

Tot haar schaamte moest ze bekennen dat ze de laatste tijd niet meer aan Thomas Boender had gedacht. Nu had ze Adze. Thomas was eigenlijk meer een soort wees voor haar geweest, wat hij nu half was, al wist hij dat zelf nog niet. Wat Jelle Boender daar 's nachts bij De Graven moest wist niemand. Hij was in het donker een vaart in gestapt en verdronken. Zoals de meeste mensen hier kon hij niet zwemmen. Te water geraakt, had de dominee op de begrafenis gezegd. Tsjitske leek verdoofd en het was net alsof zij gekrompen was. De mensen verbaasden zich over haar verdriet. Jelle stond nu niet bepaald bekend als een liefhebbende echtgenoot. Maar je wist het nooit, hoe mensen in wezen waren. Daarom schoot je ook altijd tekort. Hoe zou ze Thomas aantreffen? Ergens hoopte ze dat het hem niet zou zijn. Ze belde het nummer in Engeland en zei dat ze kwam, zo spoedig mogelijk. Daarna belde ze Adze. 'Wees voorzichtig,' zei hij. 'Je weet wat we afgesproken hebben.' Ze wilden een kind. Wat is er nu mooier, had hij naast haar in bed gezegd, een kind van twee onderwijzers.

11

Twee dagen later zat ze in het vliegtuig naar Londen. Vanaf Liverpool Station moest ze eerst met de trein naar Dover en daarna naar Sheerness. Op het station van Sheerness zag ze dat er vanhier ook een boot naar Vlissingen voer. Maar ze had al een retourticket op zak. Al was de boot beter voor Thomas geweest, dacht ze, per vliegtuig gaat het misschien allemaal te vlug voor hem. Ze gaf de taxichauffeur de naam van het hospitaal: 'Sheppey Isle Medical Centre.'

De chauffeur knikte. 'To the madhouse,' zei hij.

'The madhouse,' vroeg ze.

'Vroeger was het een jongensinternaat, een deftige school. Ze hebben er twee vleugels aangebouwd en nu is het sinds vijf jaar een soort psychiatrische inrichting.'

Jenny zat achterin en keek naar het landschap. Weilanden gescheiden door lage keienmuurtjes. Regen trok rillende streepjes over de portierramen van de taxi. Ze kwamen door stille dorpen. Beschilderde uithangborden bewogen in de wind. Winkeliers hadden hun uitstallingen op het trottoir met plastic zeilen afgedekt. De schaarse bomen stonden kaal en krom in het land.

Ze pakte haar zwarte tas van de chauffeur aan en liep de drie stenen treetjes voor de ingang van het Sheppey Isle Medical Centre op. In de lange betegelde gang rook het naar een schoonmaakmiddel. Boven de tweede deur rechts hing een bordje RECEPTIE. Ze klopte aan en deed de deur open.

Achter een stalen bureau zat een roodharige verpleeg-

74

ster met zwaar opgemaakte ogen en roze gelakte nagels.

'Ik kom voor Thomas Boender,' zei Jenny. 'De piano-man,' voegde ze eraan toe toen ze zag dat de verpleegster haar met een verbaasde blik aankeek. 'Ik moest naar dokter McLaren vragen.'

De vrouw pakte de telefoon en tikte een nummer in zonder haar ogen van Jenny af te houden. Ze sprak kort in de hoorn en legde die toen weer op het toestel.

'Ik zal u even naar dokter McLaren brengen.'

Jenny liep achter de roodharige door een paar gangen. Aan de muren hingen ingelijste affiches. Het Colosseum, de Eiffeltoren, de Sagrada Familia. Ze was nerveus. Stel dat die dokter niet geloofde dat zij Thomas kende, dat zij zijn onderwijzeres was geweest. Dat Thomas bleef zwijgen en geen teken gaf dat hij haar herkende?

De verpleegster klopte op een beige deur en wenkte Jenny.

De dokter die McLaren heette stond voor het raam. En naast hem op een stoel zat Thomas. Hij droeg een grijze hes over een broek in dezelfde kleur. Zijn voeten staken in bruine geblokte pantoffels.

De magere man draaide zich om en stak zijn hand uit. 'Ik ben Paddy McLaren,' zei hij.

Maar Jenny keek alleen maar naar Thomas met zijn vlassige baardje, zoals hij daar roerloos op die stoel zat. Als een standbeeld. Nu draaide ook McLaren zich naar Thomas om.

'Zo te zien herkent hij u.'

Ze liep op Thomas af en stak haar handen naar hem uit.

'Jenny,' zei Thomas. En nog een keer: 'Jenny.' Alsof hij haar haar naam ten geschenke aanbood, hem zojuist bedacht had en nu de eerste was die haar zo noemde. Zo langzaam, nadrukkelijk en elegant sprak hij haar naam uit.

'Dus toch,' zei McLaren.

Achter Jenny ging de deur open. Ze draaide zich om. Een wat dikke man met een rond gezicht die zich voorstelde als Wesley Bromwich, psychiater, en een kleine kale, Patrick Cook, die geriater was. Alle drie droegen ze openhangende witte doktersjassen over hun dagelijkse kleding. Drie volwassen mannen die Thomas Boender met opengesperde ogen aankeken. En Thomas die daar maar op die keukenstoel zat, nog eens 'Jenny' zei en toen: 'Terug naar de terp.'

Nu pas drong het tot McLaren door dat ze al die tijd waren blijven staan. Hij wees op een lichtgrijze bank onder het raam. Zelf ging hij achter zijn bureau zitten.

'Ik wist dat hij simuleerde,' zei Bromwich.

Patrick Cook keek hem ironisch aan. 'Ik dacht anders dat hij volgens jou aan een shock leed, een shock met geheugenverlies.'

McLaren was kennelijk de hoogste in rang hier. Hij hief zijn handen om zijn collega's het zwijgen op te leggen. 'Mevrouw hier is niet gekomen om naar onze medische disputen te luisteren,' zei hij. 'Ik ben alleen maar blij dat deze zaak nu eindelijk lijkt opgelost. We wisten zo langzamerhand niet meer waar we met hem naartoe moesten. Ik zal een ontslagbrief voor hem schrijven. Er is alleen één probleem. Hij heeft geen identiteitsbewijs. Zijn naam is Thomas Boender, zegt u, maar hij heeft geen officieel document, een paspoort of zo, dat dat boekstaaft. Voor de douane kan hij willekeurig wie zijn.'

Wesley Bromwich hield zijn mobiele telefoon omhoog. 'Ik ken John Sims, bij de politie,' zei hij. 'Die weet wel hoe we dit in het vat moeten gieten.'

Patrick Cook glimlachte en sloeg zijn benen over elkaar. 'Engeland uit komen is nooit een probleem, wie je ook bent.'

Jenny stond op. Ze had nog steeds niets gezegd. Het was duidelijk dat deze heren zo snel mogelijk van Thomas af wilden. Ze liep naar hem toe en vroeg: 'Waar zijn je kleren?' Ze wees op zijn grijze hes en broek. Thomas haalde zijn schouders op.

Patrick Cook stond op. 'Ik ga ze halen,' zei hij. 'We hebben ze keurig in een locker bewaard.' Hij liep de kamer uit.

Bromwich luisterde naar de politieman aan de andere kant van de lijn. Met zijn vrije hand maakte hij ongeduldig knippende vingerbewegingen. 'Ja,' zei hij, 'ik begrijp het. Maar één ding: geen woord hierover naar de pers. Wij laten zelf wel een persbericht uitgaan als hij eenmaal weg is hier.'

Toen Cook terugkwam met Thomas' bruine schoenen, de grijze terlenka broek, een wit overhemd en het mosgroene jack over zijn arm, zei Jenny: 'Kom Thomas, we gaan naar huis.' Ze pakte de kleren van de kalende man aan en keek om zich heen.

McLaren wees op een deur in de achterwand van zijn kamer. 'Daar kan hij zich verkleden.'

Jenny pakte Thomas bij de hand en nam hem mee naar een kleine kamer waar in een hoek een onderzoeksbed met een gummi zeiltje erover stond. Ze gaf Thomas zijn kleren aan. Langzaam trok hij de gestichtskleren uit, die als een flodderig asgrijs hoopje rond zijn voeten op de grond gleden.

'Zo,' zei Jenny. 'Nu ben je weer de oude Thomas.' Met een bezorgd gezicht keek ze hoe Thomas zich aankleedde. Hij maakte een afwezige indruk. Wie weet wat voor pillen ze hem hier allemaal gegeven hadden.

Toen hij aangekleed was glimlachte hij dankbaar. 'Ik moest wel,' zei hij.

'Wat?'

'Ze wilden dat ik iemand anders werd, iemand uit Tsjechië of Frankrijk. Of dan dachten ze weer dat ik een Zweedse pianist was. Ze bleven maar aandringen. Wat kon ik anders doen dan zwijgen, mijn eigen naam bewaren?'

Jenny knikte. 'Kom,' zei ze, 'het is nu allemaal voorbij.'

Toen ze de kamer van McLaren binnen ging, waren alleen Wesley Bromwich en Patrick Cook er nog. Bromwich hield een bruine envelop in zijn hand. 'Hier zit een ontslagbrief in en een brief voor de politie. Sims heeft met ze gebeld. Ze weten ervan en er ligt een uitreisvisum bij de politie op Heathrow klaar.'

Jenny nam de envelop aan en vroeg de geriater of hij een taxi kon bellen.

Cook zwaaide afwerend met zijn kleine handen boven zijn hoofd. 'Ik breng u zelf wel even.'

Cook was een prater. Als geriater had hij veel te maken met mensen die niet meer konden of wilden spreken. Langzaam verloren zijn patiënten hun taal tot er niet meer van over was dan een paar steeds maar weer herhaalde woorden en wat dof gemompel. Sommige reageerden nog wel op muziek. 'Muziek blijft soms langer hangen dan woorden. Daarom was ik ook in hem geïnteresseerd.'

'Ik heb het hem geleerd,' zei Jenny. 'Een paar liedjes. Zelf kende ik er niet meer.'

Thomas vond het Engels van Jenny bijna net zo goed als dat van Chris. 'Heb je lang naar me gezocht,' vroeg hij.

'Je stond in de krant,' zei ze. 'Ik herkende je van een foto in de krant.'

Even hield Cook uit beleefdheid zijn mond, maar toen het achter hem weer stil werd ging hij door. 'Soms zijn woorden bedreigend,' zei hij. 'Ik heb vaak genoeg gezien hoe mensen onder bepaalde omstandigheden niet meer willen praten. Ze willen niet meer aanspreekbaar zijn. Taal is dan te gevaarlijk voor hen. Sommige lijken er niet eens ongelukkig onder. Mensen beginnen zonder taal en eindigen ten slotte ook zonder.'

Het leek Jenny een aanvechtbare stelling, maar ze had geen zin met de geriater in discussie te gaan.

'We hebben ons uiterste best gedaan Thomas tegen de media te beschermen. We hadden zo'n geval nog nooit bij de hand gehad.'

'Het belangrijkste is dat ik hem gevonden heb,' zei Jenny.

Thomas week niet van haar zijde. In de trein viel hij in slaap. Ze keek naar zijn ontspannen gezicht. Hoe moest ze hem vertellen dat zijn vader dood was? Moest ze dat onderweg zeggen of pas als ze thuis waren?

In Dover moesten ze anderhalf uur op aansluiting naar Londen wachten. In de wachtkamer aten ze gebakken eieren met spek. Thomas had kennelijk goed te eten gehad, hij was dikker geworden. Gelukkig herkende niemand hem. Ze konden doorgaan voor twee toeristen wachtend op hun aansluiting.

Ze legde een hand op de zijne. Zijn lippen glommen van het vet. 'Ik moet je iets vertellen,' zei ze. 'Iets naars. Jelle is dood. Hij is twee weken geleden verdronken. In de buurt van De Graven.'

Ze wist niet of het wel tot hem doordrong wat ze zojuist gezegd had.

'Het is 's nachts gebeurd. Niemand weet wat hij daar deed. Tsjitske is er erg verdrietig onder.' Hij keek haar niet aan, moest het verwerken, dacht ze. 'Ik vind het heel erg voor je,' zei ze.

Thomas ging rechtop zitten en schoof zijn lege bord van zich af. 'Naar onderen,' zei hij. 'Onder het water. Daar was zijn plaats.'

Dacht Thomas hetzelfde als andere mensen in het dorp, dat Jelle Boender zich verdronken had? 'Niemand weet hoe het precies gegaan is,' zei ze.

'Niemand mist hem.'

'Tsjitske wel.'

'Ik zal verder voor haar zorgen.'

12

Thomas had nog nooit in een vliegtuig gezeten. Hij wees naar de wolken onder zich.

'Hoe hoger hoe kleiner,' zei hij, 'de wereld met alle mensen en huizen erop. Tot die helemaal verdwijnen. De aarde is een bol. Heb ik wel eens op een foto gezien. Alsof je hem zo in je hand kon houden.'

'Wat ga je doen als we weer thuis zijn?'

'Naar de fabriek,' zei hij.

'Ze willen je vast graag terug hebben. Je hebt in de *Noorder Koerier* gestaan. Je bent nu een bekende Nederlander.'

Het lachje trok zijn gezicht scheef. 'Bekend,' zei hij, 'maar niemand wist daar wie ik was, hoe ik heette. Allemaal dachten ze wat anders.'

* * *

Als iemand terugkeert naar zijn plaats van herkomst maakt niemand problemen, dat had ze op Heathrow gemerkt en nu ook op Schiphol. De douanier had het papier in ontvangst genomen en toen een gebaar van doorlopen gemaakt. Waar was Thomas' paspoort gebleven? Hij moest er een gehad hebben, anders was hij Engeland niet in gekomen. Ze vroeg hem ernaar, maar zijn antwoord begreep ze niet. Een zilvermeisje?

Jenny kon aan zijn gezicht zien dat hij het landschap, naarmate ze met de trein noordelijker kwamen, steeds beter herkende. Hij wees naar buiten.

'Terug onder de wolken.'

Ze knikte. Ze begreep nog altijd niet echt wat hem bezielde.

De bus die hen van het station naar het dorp bracht was bijna leeg. Rechts voorin zat een man in een zwarte geklede jas. Naast hem stond een hoge hoed. Een grappig gezicht vond ze dat, een hoge hoed in een bus. Dat had ze wel meer, dat ze een combinatie van bepaalde dingen grappig vond die eigenlijk helemaal niet grappig was. Dan wees ze Adze iets aan. Die trok dan zijn wenkbrauwen op en vroeg: hoezo? Het viel niet uit te leggen. Die man in de bus kwam natuurlijk gewoon van een begrafenis. Maar dan was de lol eraf, als je zo dacht. Als je naar dingen keek zonder naar betekenissen, naar verbanden te zoeken, gewoon de dingen nam zoals ze waren, apart, was de wereld veel interessanter. Maar leg dat maar eens uit.

De bus stopte bij de kerk.

'We zijn er,' zei ze.

Thomas stond al bij de deur.

'Ga je eerst nog even met mij mee?'

Hij knikte.

Adze stond voor het aanrecht prei te snijden. Hij veegde zijn handen aan zijn broek af.

'Dat ben jij dus,' zei hij, 'de veelbesproken Thomas Boender.'

'En u,' vroeg Thomas met een loerende blik.

Jenny besefte dat ze Thomas had moeten vertellen dat er nu een man bij haar woonde. 'Hij heet Adze,' zei ze, 'hij is ook onderwijzer.'

Thomas deed een paar stappen naar achteren tot hij bij de deur stond. 'Ik moet nu naar huis,' zei hij.

Ze liep naar hem toe, deed de deur voor hem open.

'Hij is heel aardig,' zei ze. 'Moet ik met je meelopen?'

Thomas schudde zijn hoofd.

Ze keek hem na. Op zijn gemak, bijna kuierend, zijn handen in zijn zakken, liep Thomas de straat uit op weg naar de dijk die hem naar het huis op de terp zou voeren.

* * *

De smalle dijk was bedekt met een laag herfstbladeren, aan de randen al helemaal zwart van vocht en trage verrotting. Tussen donkergerande wolken schoot soms een straal zonlicht naar beneden en zette een schuurdak of een witte koeienrug in een kortstondige gloed. Thomas liet zijn ogen over de vlakte dwalen, voelde de fladderende, aantrekkende wind. De rietkragen langs de vaart bogen nu eens naar links en dan weer naar rechts. Rond de kerktoren in de verte dwarrelden zwarte vlokken: kraaien. Hij was op weg naar de terp, hij kon het huis met het roestrode pannendak al zien liggen. Er brandde geen licht, maar hij was er zeker van dat Tsjitske thuis was.

Ruim een maand had hij in een Engels hospitaal gezwegen, zich te weer gesteld tegen de pogingen van de dokters hem een andere naam te geven. Toen was Jenny gekomen. Zij had hem gevonden en teruggebracht. Maar ook zij had hem, net als Chris, ten slotte verraden. Terwijl hij zijn stilzwijgende strijd leverde had ze een man in huis gehaald. Zomin als Chris zijn zusje kon zijn, kon Jenny zijn moeder zijn. Zijn enige moeder zat daar op de terp aan tafel voor het raam.

Aan weerszijden van de deur stonden de geraniums in hun groene plastic bakken nog in bloei. Stugge planten waren het, die niet bij de eerste de beste nachtvorst bezweken. Hun rood was hoogstens wat bleker dan 's zomers.

Hij lichtte de klink en ging naar binnen.

In het gangetje hing haar blauwe mantel aan de kapstok. Het enige kledingstuk. Hij hoorde de kraan in de keuken lopen.

Hij keek haar op de rug. Ze droeg een donkerblauwe schipperstrui die haar te groot was en langs haar heupen over een grijze rok viel. Een trui van Jelle. Haar halflange haar zat vol grijze strepen.

Hij bleef in de deuropening staan en kuchte kort.

Ze draaide zich op haar kousenvoeten om. Haar strakke wangen trokken in brede plooien. Met een driftig gebaar veegde ze haar handen aan haar rok af en draaide de kraan dicht. Ze liep op hem toe, bleef toen halverwege staan. 'Jelle,' zei ze en toen nog eens: 'Jelle.'

Ze wees naar de keukentafel. 'Ga zitten, m'n jongen.'

Hij trok zijn jack uit en hing het over de rugleuning van een van de keukenstoelen. De poten schraapten over de tegels toen hij zijn stoel aantrok en tegenover haar ging zitten. Ze keek even naar de leunstoel voor het raam.

'Weet je het al?'

'Jenny heeft het me verteld.'

'Ik heb een grafsteen besteld, zo'n grijze, zoals iedereen hier krijgt. Wil je koffie?'

Hij keek hoe ze koffiezette. 'Nu kunnen we praten,' zei hij en vouwde zijn handen op het tafelblad. 'Praten zonder dat er klappen vallen.'

Ze zette twee gele, dampende koffiebekers op tafel en kwam tegenover hem zitten. Even legde ze haar hand op de zijne.

Hij roerde zwijgend in zijn koffie. 'Morgen ga ik terug naar de fabriek. Er moet geld komen.'

'Er ligt nog wat in de koffer boven,' zei ze. 'Maar veel is het niet.'

Buiten was de schemering begonnen. Die duurde maar

kort. Daarna zou het donker worden en zouden ze de lamp aansteken en zouden hun gestaltes tegenover elkaar aan tafel zich weerspiegelen in het raam.

'Waarom,' vroeg Thomas, 'waarom heeft hij het gedaan?'

Ze keek hem verschrikt aan. 'Hoe bedoel je? Hij is te water geraakt. Hij kon niet zwemmen.'

'Wat deed hij daar midden in de nacht?'

'Hij trok er wel meer 's nachts op uit. Als hij niet kon slapen of iets hem dwarszat.'

'Wat?'

'Dat weet ik niet.'

'Jullie spraken er niet over.'

'Dat ging niet,' zei ze, 'je weet hoe hij was.'

Thomas knikte. 'Ik heb al die tijd mijn mond gehouden. Het beviel me eigenlijk wel.'

'Praten is zilver.'

'Ik ken het spreekwoord,' zei hij en hij stond op. 'Ik ga naar bed, ik ben moe.'

'Ik wist dat je terug zou komen,' zei ze. 'Het bed is verschoond.'

Hij legde zijn hand op haar grijze haar. Het voelde dun en droog aan.

13

Dwars door de mistflarden die over de dijk golfden, fietste hij naar de fabriek. De wind stond zijn kant op, hij rook de geur van de synthetische rubber al van verre.

Hij schoof zijn fiets tussen de andere in het overdekte fietsenrek en ging door de achterdeur naar binnen. Het sintelveld naast de fabriek, waar de jongens tussen de middag voetbalden, stond vol plassen.

Hij liep meteen door naar de emballageafdeling, waar hij het laatst had gewerkt, samengebonden buitenbanden in pakken van tien in dozen had gestopt.

Eertze Gering zag hem als eerste. Hij riep de anderen erbij en zo kwamen ze in een groep van tien om Thomas heen staan. Ze hadden zijn foto in de krant gezien. Hij was overal geweest. In Frankrijk, in Tsjechië, in Zweden, in Engeland. Nu moest hij vertellen. Douwe Knegt, de voorman, met het litteken van een messteek over zijn linkerwang, kwam uit zijn kantoortje en schudde Thomas langdurig de hand, blij dat hij weer terug was, al had hij een tijd gedacht dat hij niet meer terug zou komen. Er waren er tenslotte genoeg hier die voorgoed de benen namen.

Thomas moest vertellen. Hij schudde zijn hoofd, pakte de rand van een kartonnen doos vast, alsof hij aan het werk wilde. 'Ik weet het niet meer,' zei hij. 'Ik heb een shock gehad. En daarna weet ik niets meer. Een blackout.' Hij praatte McLaren na.

'Hebben ze je in dat gesticht soms onder de pillen gestopt,' vroeg Bouke.

'Dat niet,' zei Thomas en hij draaide zijn rug naar het

groepje toe. Ook Douwe Knegt vond dat het tijd werd om weer aan het werk te gaan.

'Hij blijft de stille,' hoorde hij een van de jongens zeggen. Ze giechelden terwijl ze van hem wegliepen.

Aan de journaliste van de *Noorder Koerier*, een meisje met een paardenstaart en een rond montuurloos brilletje, vertelde hij eveneens dat hij er niets meer van wist. Het duurde een halfuur voor hij haar overtuigd had dat er geen verhaal in hem zat.

Na zijn werk ging hij soms naar De Graven. Tussen het ritselende riet zittend staarde hij naar het zwarte water van de vaart. Het had zich op een nacht boven Jelles uitgestoken handen gesloten. Op heldere avonden bleef hij zitten tot hij de sterren boven zich zag verschijnen.

Hij beneden, ik boven.

Van al dat zwijgen was Jelle zo zwaar geworden dat hij was gezonken. Voor Thomas, voor hem dus, zat het zwijgen erop. Hij staarde in de baaierd van sterren. Een voor een riep hij hun namen het duister in: 'Jenny, Chris, mamma.'

Ik ben opgestegen, dacht hij. Ik ben zo licht als een veertje.

Hij stond op. Verkleumd keerde hij naar huis terug.

Op een dag lag er een bruine envelop op de keukentafel.

'Hij is voor jou,' zei Tsjitske en ze wees op het adres. *The Pianoman, The Netherlands (North)*. 'Je bent beroemd,' zei ze. 'Als zo'n envelop aankomt.'

Thomas ging aan tafel zitten en maakte de envelop open. Behalve zijn paspoort zat er niets in. Geen afzender. Een Engelse postzegel. Hij bladerde het paspoort door, bekeek de bladzijde met zijn naam, zijn geboortedatum en woonplaats. Toen schoof hij het boekje van zich af, alsof het paspoort niet op hem sloeg.

Tsjitske bekeek de bruine envelop. 'Helemaal uit Engeland. Iemand moet je paspoort hebben gevonden. Was je het verloren?'

Thomas schudde zijn hoofd. Hij vertelde zijn moeder over Chris en over het zilveren meisje en dat die twee niet dezelfde waren.

'Was je verliefd op haar,' vroeg ze.

'Dat kan niet,' zei Thomas en hij keek oplettend naar het gezicht van zijn moeder, dat niet van uitdrukking veranderde toen hij dat zei.

'Misschien maar beter ook,' zei ze. 'Dat je niet trouwt, bedoel ik.'

'Zoals Jenny.'

'Ik heb zoiets in de winkel gehoord,' zei zijn moeder. 'Hij is ook onderwijzer.'

'Ik blijf voor jou zorgen.'

Tsjitske hief haar rechterhand in een protesterend gebaar.

Er viel een stilte. Opeens voelde Thomas al die hier

verzamelde stiltes. Benauwend en bedreigend. Hij hoorde ze net als vroeger in zijn oren suizen. Hij keek naar de lege stoel voor het raam, de stoel met de rieten zitting en de afgetrapte sporten. 'Denk je vaak aan Jelle,' vroeg hij.

'Ik kan niet meer huilen,' zei ze. Op haar wangen verschenen rode vlekjes, ze frummelde met haar vingers aan de knoopjes van haar witte blouse. 'Hij zit hier ergens diep vanbinnen begraven, maar huilen kan ik niet om hem.'

'Hij was te zwaar,' zei Thomas.

'Te zwaar?'

'Van al dat zwijgen,' zei hij.

'Er zat hem van alles dwars,' zei Tsjitske. 'Ik probeerde er wel eens over te beginnen. "Dit land wordt nog eens mijn dood," zei hij dan. Maar als ik dan verder vroeg gaf hij geen antwoord, werd hij alleen maar woedend. Eén keer zo, dat hij een glas pakte en het tussen zijn vingers kapot kneep. Het bloed stroomde ertussenuit.'

'En wat deed jij?'

'Ik verbond zijn hand.'

'Daar in Engeland heb ik ook de hele tijd gezwegen. Maar nu is het voorbij. Je wordt lichter als je praat, weet je dat?'

'Ik ben het verleerd,' zei ze, 'na al die jaren. Praat jij maar, ik vind het prettig om naar je stem te luisteren.'

'Ik weet niet wat ik zeggen moet,' zei hij.

'Vertel me wat je die weken hebt gedaan, waar je bent geweest.'

Hij knikte. Hij begon.

Bernlef (1937) schreef een groot aantal gedichten, romans, verhalen, toneelstukken en essays. In 1959 stuurde hij enkele niet eerder gepubliceerde verhalen en gedichten in voor de Reina Prinsen Geerligsprijs, die vervolgens aan hem werd toegekend. De winnende gedichten verschenen in 1960 in *Kokkels* en de verhalen in datzelfde jaar in *Stenen spoelen*. De twee boeken vormen samen zijn debuut.

Gedurende de jaren zestig vertaalde Bernlef het werk van diverse Zweedse dichters en schrijvers en recenseerde hij voor onder andere *De Groene Amsterdammer*, *Het Parool*, *De Gids* en *Haagse Post*. Met G. Brands en K. Schippers begon hij in 1958 het roemruchte tijdschrift *Barbarber*. De poëzie die hij in deze periode schreef, werd samengebracht in *Gedichten 1960-1970* (1977).

Met de roman *Hersenschimmen* (1984) brak Bernlef door naar het grote publiek: van het boek zijn in Nederland en Vlaanderen inmiddels meer dan een half miljoen exemplaren verkocht en het werd in vijftien talen vertaald. Meer dan een verhaal over dementie is *Hersenschimmen* een liefdesgeschiedenis, met een onvermijdelijk tragisch einde. In 1988 werd de roman verfilmd door Heddy Honigmann, met Joop Admiraal in de hoofdrol.

De jazz heeft altijd Bernlefs warme belangstelling gehad. Niet alleen dichtte hij over jazz, hij schreef er ook een aantal essays over die in 1993 gebundeld werden in *Schiet niet op de pianist* en in 1999 in *Haalt de jazz de eenentwintigste eeuw?* In 2006 publiceerde hij bovendien zijn jazzverhalen in *Hoe van de trap te vallen*.

Het werk van Bernlef is vaak bekroond. In 1962 kreeg hij de Poëzieprijs van de gemeente Amsterdam voor zijn dichtbundel *Morene* (1961) en in 1964 de Lucy B. en C. W. van der Hoogtprijs voor *Dit verheugd verval* (1963). In 1984 werd zijn gehele oeuvre bekroond met de Constantijn Huygensprijs, voor de roman *Publiek geheim* (1987) kreeg hij de AKO Literatuurprijs en in 1994 werd hem de P.C. Hooftprijs toegekend voor zijn poëzie.

Ander werk van Bernlef